Tschingis
Aitmatow

Dshamilja

Zu diesem Buch

Tschingis Aitmatow arbeitete als Veterinärmediziner auf dem Experimentiergut des Viehzuchtforschungsinstituts von Kirgisien. Er hatte bereits einige kleinere Erzählungen veröffentlicht und absolvierte 1956 ein Praktikum am Maxim-Gorki-Literaturinstitut in Moskau. Als Diplomarbeit verfaßte er eine Geschichte, gab ihr den Titel »Dshamilja«, und seither geht sie um die ganze Welt.

»Tschingis Aitmatow steht noch am Anfang. Aber er wirkt schon so, als berge er die ungeheure Erfahrung der Menschheit in seinem Herzen und in seinen Armen. Denn dieser junge Mann spricht von der Liebe wie kein anderer.« So Aragon 1959.

Dreißig Jahre später erzählt Aitmatow nochmals über Dshamilja. Im Vorwort zu dieser autorisierten Neuausgabe hält er Rückschau auf seine Novelle, die zur »schönsten Liebesgeschichte der Welt« wurde.

Tschingis
Aitmatow

Dshamilja

Aus dem Russischen von
Hartmut Herboth

Unionsverlag
Zürich

Die Übersetzung wurde durchgesehen von Friedrich Hitzer
nach der autorisierten Werkausgabe
Čingiz Aitmatov, Sobranie Sočeninenij v trech tomach, tom pervyi, Moskva 1982. Die Übersetzung beruht,
wie alle Übersetzungen der Novelle ins Deutsche,
auf dem von A. Dmitrieva vom Kirgisischen
ins Russische übersetzten Text.

Das Vorwort von Tschingis Aitmatow zu dieser Ausgabe
übersetzte Friedrich Hitzer aus dem Russischen.
Den Text von Louis Aragon übersetzte Alex Bischof
aus dem Französischen.

Unionsverlag Taschenbuch 1
Erste Auflage 1990

Rieterstrasse 18, CH-8059 Zürich
Telefon (0041) 01-281 1400

Umschlaggestaltung: Heinz Unternährer, Zürich
Umschlag nach einem Standbild aus dem Film »Dshamilja«
von Irina Poplawskaja (1963)
Satz: Utesch Satztechnik GmbH, Hamburg
Druck und Bindung: Clausen & Bosse, Leck
ISBN 3-293-20001-X

12 13 14 15 – 00 99 98 97

Tschingis Aitmatow

»Gefährtin derer, die an die Liebe glauben«

Zu seinen frühen Werken verhält sich ein Autor mit einer gewissen Herablassung oder gar mit verächtlicher Selbstironie. Ist doch klar, jung war er und unreif. Aber gegenüber der Novelle *Dshamilja* kann ich nicht so streng sein, obgleich seit dem Tag ihres Erscheinens mehr als ein Vierteljahrhundert vergangen ist. Allzuviel bedeutete und bedeutet mir *Dshamilja,* diese unschuldige Erzählung über die reine Liebe aus den Zeiten des Zweiten Weltkrieges. Und ich weiß nicht, ob es mir je gelingt, nochmals ein solches Werk zu schreiben, über die unverzagte, grenzenlose und alles verschlingende Liebe, die Menschen verwandelt und sie zeitweise zu schönen Idealen emporhebt, zu Tragödien und Dramen. Wer weiß, vielleicht fordert die Liebe als literarisches Thema vom Autor Jugend und hohes Reaktionsvermögen. Vielleicht aber auch nicht, schließlich ist jeder Schriftsteller ein auf seine ganz eigene Weise eingestellter »Mechanismus«.

Ja, es ist wirklich einige Zeit vergangen. Dshamilja und ihr Geliebter Danijar wären längst alte Leute mit zahlreichen Enkelkindern. Außerdem hat sich in dieser Welt so viel verändert und verschlungen; sogar an den Orten, woher meine Helden stammen, in der mittelasiatischen Abgeschiedenheit führen heute die Menschen ein völlig anderes Leben. Neue Sitten und Gebräuche, neue Kommunikationsmittel, überall Fernsehen und was sonst noch die Macht der allgegenwärtigen Massenkultur ausmacht – all das muß ja die heutigen Menschen beeinflussen, ihr

Verhalten und ihre Einstellung zu geistigen, moralischen Werten und Traditionen, also auch darauf, wie sich Gefühle und Zuwendungen zeigen, die Dimensionen von Pflicht, Liebe und Freundschaft.

All das sage ich, weil der »moralische Verschleiß« der Literatur eine ebenso reale Erscheinung des Lebens ist wie alles, was in Raum und Zeit existiert. Aber es scheint hier Ausnahmen zu geben. Ich erlaube mir den Gedanken: Solch eine Ausnahme ist auch *Dshamilja*.

Als Autor nehme ich mit Freude zur Kenntnis, daß *Dshamilja* nicht verblüht, dafür sprechen die zahlreichen und beständigen Neuauflagen an verschiedenen Orten, in unterschiedlichen Ländern, dafür spricht die fortschreitende geographische Ausbreitung – von China und Indien bis zu den mexikanischen Ufern Amerikas.

Doch darum geht es eigentlich nicht, das Schicksal *Dshamiljas* bezeugt in jedem Fall, woran ich glauben möchte: Das Gefühl der Liebe gehört zum Höchsten und Ewigen, das der Menschengeist an sich entdeckt, sie verfügt über die erstaunliche Eigenschaft, unter allen Bedingungen und Prüfungen zu überleben, sie bewahrt sich beständig ihre Anziehungskraft in der Sphäre der Kunst.

Und das ist für die zeitgenössische Literatur und die ihr Dienenden gar nicht wenig.

Dshamilja lebt, das bedeutet, sie lebt im Leserinteresse... Worauf beruht das Geheimnis ihrer Popularität? Das ist doch arglose, romantische Liebe und nicht mehr, mir fällt schwer, es zu beschreiben. Aber viele Leser stehen zu ihr wahrhaft rührend und herzlich. Zum Beispiel in Zürich, Herbst 1987; ich befand mich im Gebäude des Fernsehens und bereitete mich für die Sendung »Karussell« vor, das Telefon klingelte, und ein Mitarbeiter des Fernsehens teilte mir mit, eine Frau habe angerufen und gebeten, mir zu sagen, ihr Mann und sie hätten ihrem neugeborenen Sohn den Namen Danijar gegeben, der Dshamilja so sehr liebhatte. Natürlich freute mich das sehr ...

Aber es gibt für mich auch noch ernsthaftere Motive für die besondere Bedeutung *Dshamiljas.* Mit dieser Novelle verbinde ich drei mir liebe und teure Namen; Dshamilja hat, wenn man es so ausdrücken kann, drei Taufpaten. Veröffentlicht hat sie Alexander Trifonowitsch Twardowskij 1958 in der Zeitschrift *Nowyj Mir,* er war damals deren Chefredakteur und hat mir damit den Weg in die große Literatur gebahnt. Die Novelle hatte ursprünglich »Melodie«[1] geheißen, doch Twardowskij hatte mir vorgeschlagen, den Titel zu ändern, und mit seiner glücklichen Hand wurde er zu *Dshamilja.* Und seit der Zeit bin ich ständig Autor der *Nowyj Mir,* worauf ich sehr stolz bin.

Der andere, mir nicht weniger teure Name ist Muchtar Auesow, der große kasachische Schriftsteller, der in jenen Tagen den jungen Autor mit guten Worten in der Presse begleitete.

Und schließlich Louis Aragon. Daß Aragon persönlich schon 1959 *Dshamilja* in die französische Sprache übersetzte und die Übersetzung mit einem bewegten Vorwort versah, spielte zweifellos die entscheidende Rolle dabei, daß *Dshamilja* Zugang zur internationalen Leserschaft fand ...

Auch Bücher können wohl ein Glückslos ziehen ...

Auf *Dshamilja* trifft das ganz und gar zu, sie wurde zur Gefährtin derer, die an die Liebe glauben.

Wieviel Wasser ist unterdessen den Berg hinabgeflos-

---

[1] Im Russischen »Napev« (F. H.)

sen, und nunmehr schreibe ich, als Autor, erstmals ein kurzes Vorwort zu einem meiner frühesten Werke – für die jüngste deutsche Neuauflage *Dshamiljas,* dieses Mal im Zürcher Unionsverlag, zu dem meine Arbeitsbeziehungen eine immer festere Gestalt annehmen.

Frunse, im Dezember 1987

Dshamilja

Da stehe ich nun wieder vor dem kleinen Bild mit dem schlichten Rahmen. Morgen früh muß ich in den Ail fahren – ich betrachte es lange und unverwandt, als könnte es mir ein gutes Geleit geben.

Ich habe dieses Bild noch nie auf einer Ausstellung gezeigt, ja, ich verberge es, wenn Verwandte aus dem Ail zu mir kommen. Es stellt nichts Anstößiges dar, aber es ist alles andere als ein Kunstwerk. Schlicht und einfach ist es wie die Landschaft, die es wiedergibt.

Den Hintergrund bildet der sich neigende fahle Herbsthimmel. Der Wind treibt rasch dahineilende scheckige Wölkchen über eine ferne Gebirgskette. Davor wogt die mit Wermut bewachsene rotbraune Steppe. Eine Straße, noch schwarz und feucht vom letzten Regen, durchzieht sie. Zu ihren Seiten liegt in dichten Büscheln verdorrtes umgeknicktes Steppengras. Der ausgewaschenen Räderspur folgen, je weiter, desto verschwommener, die Fußstapfen zweier Wanderer. Die beiden Fußgänger selbst scheinen nur noch einen Schritt machen zu müssen, um hinter dem Rahmen zu verschwinden. Der eine von ihnen... Doch ich greife vor.

Es war in meiner frühen Jugend. Der Krieg tobte das dritte Jahr. An den fernen Fronten irgendwo bei Kursk und Orjol kämpften unsere Väter und Brüder, und wir Halbwüchsigen, etwa fünfzehn Jahre alt, arbeiteten im Kolchos. Die schwere Arbeit der Männer lastete auf unseren noch nicht erstarkten Schultern. Das spürten wir besonders in der Erntezeit. Wochenlang kamen wir nicht nach Hause; Tag und Nacht waren wir auf dem Feld, dem Dreschplatz oder unterwegs zur Eisenbahnstation, wo das Korn verladen wurde.

An einem dieser heißen Tage, die Sicheln glühten vom Ernten, kehrte ich mit dem leeren Wagen vom Bahnhof zurück und beschloß, zu Hause einzukehren.

Nahe der Furt, dort, wo die Straße endete, lagen auf einer Anhöhe zwei Höfe, umgeben von einer Mauer aus Saman. Um das Anwesen herum ragten Pappeln empor. Das waren unsere Häuser. Seit langer Zeit lebten hier unsere beiden Familien in enger Nachbarschaft. Ich selbst gehörte in das Große Haus. Meine Brüder, beide älter als ich, beide unverheiratet, standen an der Front, und wir hatten schon lange keine Nachricht von ihnen.

Mein Vater, ein alter Zimmermann, pflegte im Morgengrauen den Namas zu verrichten und dann zum gemeinsamen Werkhof in die Tischlerei zu gehen. Erst spät am Abend kam er zurück.

Daheim blieben die Mutter und mein Schwesterchen.

Im Nachbarhaus oder dem Kleinen Haus, wie man es im Ail nannte, wohnten unsere nächsten Verwandten. Leibliche Brüder waren zwar nur unsere Urgroßväter, wenn nicht gar Ururgroßväter gewesen, doch ich nenne sie unsere nächsten Verwandten, weil wir als Familie zusammen lebten. Dergleichen war schon zu der Zeit üblich gewesen, als unsere Großväter noch gemeinsam die Nomadenlager aufschlugen und das Vieh hüteten. Diese Tradition hatten wir gewahrt. Als die Kollektivierung in unseren Ail kam, ließen sich unsere Väter nebeneinander nieder.

Aber nicht nur wir gehörten zusammen; alle Siedler an der Araler Straße, die durch den Ail bis ins Zwischenstromland führte, waren unsere Stammesgenossen, sie alle entstammten einem Geschlecht.

Bald nach der Kollektivierung starb der Familienvater im Kleinen Haus. Seine Frau blieb mit zwei kleinen Söhnen zurück. Nach dem alten Adat, an das man sich damals im Ail noch hielt, durfte man die Witwe mit ihren Söhnen nicht im Stich lassen, und so verheirateten unsere Stammesgenossen sie mit meinem Vater. Das forderten die Geister der Ahnen, denn er war ja der nächste Verwandte des Verstorbenen.

So kamen wir zu einer zweiten Familie. Das Kleine Haus galt zwar als selbständige Wirtschaft, es hatte einen eigenen Hof und eigenes Vieh, tatsächlich aber lebten wir zusammen. Auch das Kleine Haus schickte zwei Söhne in die Armee. Der älteste, Sadyk, ging bald nach seiner Hochzeit fort. Von beiden erhielten wir Briefe, wenn auch in großen Abständen.

Nun wohnten dort noch die Mutter, die ich Kitschi-apa, jüngere Mutter, nannte, und ihre Schwiegertochter, Sadyks Frau. Beide arbeiteten von früh bis spät im Kolchos. Die Kitschi-apa, eine gutmütige, nachgiebige Frau, die niemand etwas zuleide tat, stand den Jungen in der Arbeit nicht nach, weder beim Ausheben der Aryks, unserer Bewässerungsgräben, noch bei anderen Aufgaben. Mit einem Wort, sie konnte tüchtig zupacken. Das Schicksal schickte ihr gleichsam als Belohnung für ihren Fleiß eine arbeitsame Schwiegertochter. Dshamilja arbeitete genauso unermüdlich und geschickt wie sie, doch war sie von anderer Art.

Ich liebte Dshamilja heiß, und auch sie hatte mich lieb. Wir hielten gute Freundschaft, doch wir wagten nicht, uns beim Namen zu nennen. Wären wir aus verschiedenen Familien gewesen, dann hätte ich sie natürlich Dshamilja genannt; so aber sagte ich Dshene zu ihr, Schwägerin, und sie nannte mich Kitschine-bala, Kleiner, obwohl ich durchaus nicht klein und der Altersunterschied zwischen uns beiden gering war. Aber so forderte es der Brauch in den Ails: Die Schwiegertöchter nannten die jüngeren Brüder des Mannes Kitschine-bala oder Kajyn.

Die Hauswirtschaft beider Höfe besorgte meine leibliche Mutter. Meine kleine Schwester, ein putziges Mädchen mit Fädchen in den Rattenschwanzzöpfen, half ihr dabei. Nie werde ich vergessen, mit welchem Eifer die Kleine in dieser schweren Zeit ihren Pflichten nachkam. Mal hütete sie hinter den Gemüsegärten die Lämmchen und Kälber der beiden Höfe, mal sammelte sie Kamelmist und Reisig, damit immer etwas zum Heizen im Haus war. Sie brachte Freude in die Einsamkeit der Mutter, mein liebes stupsnasiges Schwesterchen, und lenkte sie mit ihren Zärtlichkeiten von den traurigen Gedanken an die vermißten Söhne ab.

Das gute Einvernehmen und den Wohlstand im Haus verdankte die große Familie meiner Mutter. Sie war die unumschränkte Herrin beider Höfe, die Hüterin des häuslichen Herdes. Als blutjunges Mädchen war sie in die Sippe unserer nomadisierenden Großväter aufgenommen worden; sie hielt ihr Andenken heilig und lenkte die Familie nach Recht und Sitte. Im Ail galt sie als die achtbarste, lauterste und klügste Hausfrau. Sie gebot über alle im Haus. Offen gestanden, erkannte man im Ail den Vater nicht als Familienoberhaupt an. Oft konnte ich bei der einen oder anderen Gelegenheit jemand sagen hören: »Weißt du, geh lieber nicht zum Ustak«, so nennt man bei uns die Handwerker, »der kennt doch nur sein Beil. Bei denen hat die ältere Mutter zu bestimmen, sprich gleich mit ihr, da erreichst du mehr.«

Es sei noch erwähnt, daß auch ich mich trotz meiner Jugend häufig in häusliche Angelegenheiten einmischte. Das konnte ich mir nur erlauben, weil die älteren Brüder im Krieg waren. Man nannte mich deshalb, zuweilen scherzhaft, zuweilen aber auch im Ernst, den Dshigiten zweier Familien, den Beschützer und Ernährer. Ich war stolz darauf und fühlte mich für alles verantwortlich. Die Mutter unterstützte meine Selbständigkeit. Ich sollte tüchtig und aufgeweckt werden, nicht so wie mein Vater, der tagaus, tagein schweigsam hobelte und sägte.

Ich hielt also mit meinem Wagen vor dem Haus im Schatten einer Weide an, lockerte die Zugriemen und ging zum Tor. Da erblickte ich auf dem Hof unseren Brigadier Orosmat, wie immer zu Pferd, die Krücke am Sattel. Neben ihm stand meine Mutter. Die beiden stritten über etwas. Als ich näher kam, hörte ich Mutters Stimme:

»Kommt gar nicht in Frage! Hast du gar keine Gottesfurcht? Wo hat man je gesehen, daß eine Frau Säcke fährt! Nein, mein Lieber, laß meine Schwiegertochter aus dem Spiel. Sie soll arbeiten wie bisher. Ich weiß ohnehin nicht, wo mir der Kopf steht, versuch du mal, auf zwei Höfen Ordnung zu halten! Ein Glück noch, daß mein Töchterchen herangewachsen ist. Seit einer Woche kann ich nicht geradegehen, das Kreuz tut mir weh, als hätte ich eine Filzmatte gewalkt, und dabei vertrocknet der Mais draußen, er braucht Wasser«, schimpfte sie erregt und steckte fortwährend den Zipfel ihres Kopftuchs in den Kragen ihres Kleides. Das tat sie immer, wenn sie böse war.

»Was sind Sie bloß für ein Mensch!« sagte Orosmat verzweifelt, sich im Sattel vorbeugend. »Wenn ich statt dieses Stumpfes noch mein Bein hätte, würde ich Sie da bitten? Ich würde selber, wie früher, die Säcke auf den Wagen werfen und loskutschieren! Ich weiß, es ist keine

Frauenarbeit, aber wo soll ich denn Männer hernehmen? Es ist nun mal beschlossen worden, die Frauen der Soldaten heranzuziehen. Sie klammern sich an Ihre Schwiegertochter, und wir dürfen uns nachher von oben schelten lassen! Die Soldaten brauchen Brot, und wir lassen den Plan platzen. Das geht doch nicht! So darf man's doch nicht machen!«

Ich trat näher, die Peitsche auf der Erde nachschleifend.

Als mich der Brigadier sah, hellte sich sein Gesicht merklich auf – ihm war offensichtlich ein Gedanke gekommen.

»Warum haben Sie eigentlich Angst um Ihre Schwiegertochter? Ihr Kajyn hier«, er zeigte erfreut auf mich, »läßt bestimmt niemand an sie heran, da können Sie sicher sein. Er ist doch ein Mordskerl, unser Seït. Die Jungen sind heutzutage unsre Ernährer, unsre ganze Stütze.«

Die Mutter ließ den Brigadier nicht weiterreden.

»Ja, wie siehst du denn aus, du Rumtreiber?« jammerte sie. »Und die Haare, ganz verfilzt sind sie schon! Unser Vater ist mir der Richtige, findet nicht mal Zeit, seinem Sohn den Kopf zu scheren.«

»Nun, dann soll sich das Söhnchen heute mal einen guten Tag bei den Alten machen und sich den Kopf scheren lassen!« meinte Orosmat, der Mutter schlau nach dem Munde redend. »Seït, bleib heute zu Haus, füttere die Pferde schön, und morgen früh geben wir Dshamilja einen Wagen, dann arbeitet ihr beide zusammen. Hör gut zu: Du bist für sie verantwortlich. Sie können ganz beruhigt sein, Baibitsche, Seït wird schon dafür sorgen, daß ihr niemand was zuleide tut. Und wenn's sein muß, schicke ich auch noch Danijar mit. Sie kennen ihn doch, er ist kürzlich aus dem Krieg zurückgekehrt, ein stiller, ruhiger Kerl. Wenn sie zu dritt das Korn zum Bahnhof fahren, wer wird es dann noch wagen, Ihre Schwiegertochter anzurühren? Stimmt's, Seït? Was meinst du? Wir wollen Dshamilja zum Fuhrmann machen, und die Mutter ist dagegen. Sprich du doch mal mit ihr.«

Mir schmeichelte das Lob des Brigadiers und seine Art, sich mit mir wie mit einem Erwachsenen zu beraten. Außerdem stellte ich mir sofort vor, wie schön es wäre, zusammen mit Dshamilja zur Bahnstation zu fahren. Daher sagte ich mit ernster Miene zur Mutter: »Ihr wird schon nichts passieren. Denkst du, die Wölfe fressen sie, oder was?« Ich spuckte wie ein alter Fuhrmann überlegen durch die Zähne und ging davon, die Peitsche hinter mir herschleifend und rhythmisch die Schultern wiegend.

»So ein Bengel!« sagte die Mutter verwundert, aber wohl auch ein wenig stolz, doch im gleichen Augenblick schrie sie zornig: »Ich zeig dir noch Wölfe! Was weißt du denn schon, du Neunmalkluger?«

»Aber wer soll's denn wissen, wenn nicht er, er ist doch der Dshigit zweier Familien! Ihr könnt stolz auf ihn sein!« meinte Orosmat und sah die Mutter mit einem vorsichtigen Blick an, als fürchtete er, sie könnte sich wieder sträuben. Er wußte nichts mehr zu sagen und lächelte verlegen. Doch die Mutter widersprach ihm nicht. Sie ließ auf einmal den Kopf hängen und sagte mit einem tiefen Seufzer: »Ach, was heißt Dshigit, ein Kind ist er noch, und doch muß er Tag und Nacht arbeiten. Unsere guten Dshigiten sind Gott weiß wo! Und unsere Höfe vereinsamt wie ein verlassenes Nomadenlager.«

Ich war schon weit weg und hörte nicht mehr, was die Mutter noch sagte. Im Gehen schlug ich mit der Peitsche so heftig an die Hausecke, daß Staub aufwirbelte, und ohne das Lächeln meines Schwesterchens zu erwidern, das auf dem Hof mit klatschendem Geräusch Saman formte, trat ich festen Schrittes unter das Vordach. Dort hockte ich mich nieder und wusch mir in aller Ruhe die Hände, indem ich mir Wasser aus einem Krug darübergoß. Dann ging ich ins Haus und trank eine Tasse saure Milch; die zweite nahm ich mit zum Fensterbrett und brockte mir Brot hinein.

Die Mutter und Orosmat standen noch immer auf dem Hof. Doch sie stritten nicht mehr, sondern redeten ruhig und leise miteinander. Wahrscheinlich sprachen sie von meinen Brüdern. Die Mutter fuhr sich von Zeit zu Zeit mit dem Ärmel über die geschwollenen Augen, nickte nachdenklich als Antwort auf die Worte Orosmats, der sie offenbar tröstete, und schaute mit verschleiertem Blick irgendwohin in die Ferne, über die Bäume hinweg, als hoffe sie, ihre Söhne dort zu entdecken.

In ihrem Kummer schien die Mutter die Einwände gegen den Vorschlag des Brigadiers vergessen zu haben. Und dieser, zufrieden, daß er sein Ziel erreicht hatte, schlug das Pferd mit der Riemenpeitsche und ritt in schnellem Paßgang vom Hof. Damals ahnten weder die Mutter noch ich, wie das alles enden sollte.

Ich zweifelte keinen Augenblick daran, daß Dshamilja mit dem zweispännigen Wagen fertig werden würde. Sie konnte mit Pferden umgehen, sie war ja die Tochter eines Pferdehirten aus Bakair, einem Ail in den Bergen. Auch unser Sadyk war Pferdehirt. Einmal im Frühling beim Wettrennen soll Dshamilja schneller gewesen sein als er. Wer weiß, ob es wahr ist, doch man sagte, daß der in seiner Ehre gekränkte Sadyk sie daraufhin entführte. Andere dagegen beteuerten, sie hätten aus Liebe geheiratet. Wie es auch immer gewesen sein mag, sie lebten nur ganze vier Monate zusammen. Dann begann der Krieg, und Sadyk wurde zur Armee einberufen.

Ich weiß nicht, wie es zu erklären war, vielleicht daher, daß Dshamilja seit der Kindheit mit dem Vater, für den sie Tochter und Sohn zugleich war, Pferde jagte. In ihrer Art lag etwas Männliches, Schroffes, ja zuweilen sogar Grobes. Auch bei der Arbeit packte Dshamilja zu wie ein Mann. Mit den Nachbarinnen vertrug sie sich gut, doch wenn man sie ungerecht behandelte, dann konnte sie besser schimpfen als jede andere; es kam sogar vor, daß sie jemand bei den Haaren zog.

Schon mehrmals hatten sich Nachbarn beklagt: »Was habt ihr nur für eine Schwiegertochter? Sie ist doch gerade erst in euer Haus gekommen, aber mit dem Mund ist sie schon sehr vorneweg! Die hat weder Achtung noch Schamgefühl!«

»Ist doch gut, sie macht es schon recht!« antwortete dann die Mutter. »Sie sagt den Leuten gern die Wahrheit ins Gesicht. Das ist besser, als wenn's einer heimlich tut und hinter dem Rücken die Zunge wetzt. Eure Schwiegertöchter spielen die Sanftmütigen, Stillen, dabei sind sie wie faule Eier: von außen rein und glatt, doch innen – da muß man sich die Nase zuhalten.«

Der Vater und die jüngere Mutter behandelten Dshamilja nie so streng und kleinlich, wie es Schwiegereltern gewöhnlich tun. Sie liebten sie und wünschten nur, daß sie Gott und ihrem Mann treu bliebe.

Ich konnte die beiden verstehen. Unsere Familien hatten vier Söhne in die Armee gegeben; mein Vater und die jüngere Mutter fanden Trost in Dshamilja, der einzigen Schwiegertochter auf unseren Höfen, deshalb war sie ihnen lieb und wert. Meine leibliche Mutter hingegen verstand ich nicht. Sie war nicht der Mensch, der jemand so leicht ins Herz schloß. Sie hatte ein herrisches, rauhes Wesen. Nie wich sie von ihren Lebensregeln ab. Jedes Jahr stellte sie zu Beginn des Frühlings im Hof unsere Nomadenjurte auf, die mein Vater schon in seiner Jugend gebaut hatte, und räucherte sie mit Wacholder aus. Uns erzog sie zu strenger Arbeitsamkeit und Achtung vor den Alten. Von allen Familienmitgliedern verlangte sie unbedingte Unterordnung.

Dshamilja jedoch zeigte sich vom ersten Tag an„da sie zu uns kam, nicht so, wie es der Schwiegertochter geziemte. Sie hörte wohl auf die Alten und verehrte sie, doch niemals verneigte sie sich vor ihnen. Dafür spöttelte sie aber auch nicht insgeheim, zur Seite abgewandt, über sie, wie die anderen jungen Frauen. Sie sagte stets geradeheraus, was sie dachte, und scheute sich nicht, ihre Meinung zu äußern. Die Mutter stimmte ihr oft zu und unterstützte sie, doch das entscheidende Wort behielt sie sich stets vor. Mir scheint, sie sah in Dshamilja, deren aufrechte Denkart und deren Sinn für Gerechtigkeit ihr wesensverwandt waren, einen ihr ebenbürtigen Menschen und träumte im stillen davon, sie eines Tages auf ihren Platz zu stellen und aus ihr eine ebenso selbstbewußte Hausfrau, eine Baibitsche, eine Hüterin des häuslichen Herdes, zu machen, wie sie selbst es war.

»Danke Allah, meine Tochter«, belehrte sie Dshamilja, »du bist in ein ordentliches, gesegnetes Haus gekommen. Das ist dein Glück. Das Glück einer Frau besteht darin, daß sie Kinder gebiert und daß im Hause kein Mangel herrscht. Du bekommst, Gott sei Dank, alles, was wir, die Alten, erworben haben; ins Grab nehmen wir es ja nicht mit. Das Glück aber, das bleibt nur bei dem, der seine Ehre und sein Gewissen bewahrt. Denk daran, gib auf dich acht!«

Etwas störte jedoch die Mutter an Dshamilja trotz allem: Sie freute sich zu offenherzig, ganz wie ein Kind. Es geschah, daß sie plötzlich, scheinbar völlig ohne Grund, laut und herzhaft lachte. Wenn sie von der Arbeit kam, dann trat sie nicht ruhig und gesittet in den Hof, sondern sie sprang über den Aryk und rannte herein. Mir nichts, dir nichts umarmte und küßte sie bald die eine Schwiegermutter, bald die andere.

Dshamilja sang auch gern; stets trällerte sie vor sich hin, selbst in Gegenwart der Alten. Das alles vertrug sich natürlich nicht mit den üblichen Ansichten über das Verhalten einer Schwiegertochter in der Familie, doch beide Schwiegermütter beruhigten sich damit, daß sie mit der Zeit schon gesetzter werden würde, in der Jugend waren ja schließlich alle so. Für mich aber gab es niemand auf der ganzen Welt, der mir besser gefallen hätte als Dshamilja. Wir scherzten, jagten einander auf dem Hof und konnten ohne jeden Grund schallend lachen.

Hübsch war Dshamilja, schlank und wohlgebaut. Ihr straffes, dichtes Haar trug sie in zwei festen, schweren Zöpfen, und ihr weißes Kopftuch band sie so geschickt um, daß es ein wenig schräg über ihre Stirn lief, was sie sehr gut kleidete und die gebräunte Haut ihres glatten Gesichts hervorhob. Wenn sie lachte, glühten ihre blauschwarzen mandelförmigen Augen in jugendlichem Feuer; wenn sie aber plötzlich ein gepfeffertes Spottlied anstimmte, dann trat in ihre schönen Augen ein keineswegs mädchenhafter Glanz.

Ich bemerkte oft, daß die Dshigiten, besonders die Heimkehrer, ihr nachsahen. Dshamilja schäkerte selbst gern mit ihnen, doch wenn sich einer vergaß, schlug sie ihm auf die Finger. Trotzdem berührte mich so etwas jedesmal schmerzhaft. Ich war eifersüchtig wie ein jüngerer Bruder auf die Freunde seiner Schwester, und wenn ich in Dshamiljas Nähe junge Männer erblickte, dann fuhr ich immer dazwischen. Ich plusterte mich auf, sah sie herausfordernd an, und mein Blick schien zu sagen: Scharwenzelt hier nicht herum, sie ist die Frau meines Bruders! Denkt ja nicht, daß sie keinen Beschützer hat!

In solchen Augenblicken mischte ich mich, ob es angebracht war oder nicht, betont nachlässig in die Gespräche ein, mit der Absicht, die Verehrer lächerlich zu machen. Wenn das nicht gelang, verlor ich die Selbstbeherrschung und schnaubte vor Wut. Die jungen Männer brachen dann gewöhnlich in lautes Lachen aus und riefen: »Oje, nun seht euch den an! Sie ist seine Dshene, nein, so ein Spaß! Und wir haben's gar nicht gewußt!«

Ich faßte mich, aber ich fühlte, daß sich meine Ohren verräterisch röteten und die Kränkung mir die Tränen in die Augen trieb. Doch Dshamilja, meine Schwägerin, verstand mich. Mit Mühe unterdrückte sie das aufsteigende Lachen, machte ein ernstes Gesicht und sagte:

»Ihr dachtet wohl, die Dshene sei schutzlos? Vielleicht bei euch zu Hause, bei uns nicht! Komm, mein Kajyn, laß sie!« Sie nahm eine würdevolle Haltung an, warf stolz den Kopf zurück, zuckte herausfordernd mit den Schultern und ging still lächelnd mit mir davon.

Ich entdeckte in diesem Lächeln sowohl Unmut als auch Freude. Vielleicht dachte Dshamilja: Ach, du kleiner Dummer! Wenn ich wirklich einmal über die Stränge schlagen wollte, wer könnte mich daran hindern? Und wenn die ganze Familie aufpaßte, ihr hieltet mich nicht! Ich schwieg in solchen Fällen schuldbewußt. Ja, ich war eifersüchtig, ich vergötterte Dshamilja, ich war stolz darauf, sie zur Schwägerin zu haben, ich war stolz auf ihre Schönheit und ihren unabhängigen freien Charakter. Wir waren die innigsten Freunde und hatten kein Geheimnis voreinander.

Zu jener Zeit gab es wenig Männer im Ail. Das nutzten manche Burschen aus; sie näherten sich den Frauen in frecher Weise, ohne viel Federlesens zu machen, denn man brauchte ja, so meinten sie, nur mit dem kleinen Finger zu winken, und jede beliebige kam gelaufen.

Während der Heuernte wurde einmal Osmon, ein entfernter Verwandter von uns, bei Dshamilja zudringlich. Er war auch einer von denen, die glaubten, daß ihnen keine widerstehen könne. Dshamilja, die im Schatten eines Heuhaufens saß, um ein wenig auszuruhen, stieß unwillig seine Hand zurück und sprang auf.

»Laß mich in Ruhe!« sagte sie traurig und wandte sich ab. »Ihr Herdenhengste habt ja nichts anderes im Sinn.«

Osmon streckte sich behaglich im Heu aus und verzog geringschätzig die feuchten Lippen.

»Der Katze stinkt das Fleisch am übelsten, das hoch oben an der Stange hängt! Warum zierst du dich? Du willst es doch selber brennend gern, was rümpfst du die Nase?«

Dshamilja drehte sich brüsk um.

»Vielleicht will ich es. Vielleicht will ich es sogar brennend gern.« Ihre Stimme bebte. »Unser Los ist schwer genug, und du Idiot, du freust dich noch. Selbst wenn ich hundert Jahre Soldatenfrau bleiben sollte, solche wie dich würde ich nicht einmal anspucken, das wäre mir schon zuwider. Ich möchte mal sehen, wer überhaupt mit dir reden würde, wenn kein Krieg wäre!«

»Das sage ich ja auch!« grinste Osmon. »Der Krieg! Du wirst noch toll werden ohne die Peitsche des Mannes!« Seine Augen blitzten lüstern hinter den schmalen Lidspalten. »Wenn du meine Frau wärst, würde ich dich nackt ausziehen, du Großbrüstige, dann würdest du ein anderes Liedchen anstimmen.« Er streckte frech die Hand aus und schnippte mit den Fingern. Dshamilja wollte sich auf ihn stürzen, etwas sagen, doch sie schwieg. Sie wußte, daß es nicht lohnte, mit ihm Streit anzufangen, und warf ihm nur einen langen, haßerfüllten Blick zu. Dann spuckte sie voller Ekel aus, nahm die Heugabel und ging weg.

Ich stand währenddessen auf einem Karren hinter dem Heuhaufen. Als Dshamilja mich sah, wandte sie sich jäh zur Seite. Sie ahnte, in was für einer Verfassung ich war. Ich hatte das Gefühl, als sei nicht sie, sondern ich tödlich beleidigt worden, als hätte man mir die größte Schande angetan. Mit blutendem Herzen warf ich ihr vor: »Weshalb läßt du dich mit solchen Leuten ein, warum sprichst du mit ihnen?«

Bis zum Abend ging Dshamilja finster und mürrisch umher; sie wechselte kein Wort mit mir und lachte nicht wie sonst. Als ich mit dem Karren kam, stieß sie, um mir nicht Gelegenheit zu geben, von der furchtbaren Kränkung zu sprechen, die sie im Inneren verbarg, mit weit ausholender Bewegung die Gabel in einen Heuhaufen, hob ihn hoch und trug ihn, das Gesicht dahinter verborgen, vor sich her. Mit einem Ruck warf sie die Last ab und stürzte sich sogleich auf den nächsten Haufen. Der Karren wurde schnell voll. Als ich wegfuhr, sah ich mich noch einmal um. Dshamilja stand, auf den Stiel ihrer Heugabel gestützt, eine Zeitlang in sich versunken da, dann besann sie sich plötzlich und machte sich wieder an die Arbeit.

Als wir den letzten Karren beladen hatten, blieb sie wieder stehen und blickte lange in die untergehende Sonne. Sie schien die ganze Welt vergessen zu haben. Weit hinter dem Fluß, dort, wo die kasachische Steppe zu Ende ging, glühte die verblassende Abendsonne der Mahdzeit wie die Öffnung eines brennenden Tandyrs. Während sie langsam hinter den Horizont glitt, färbte sie die leichten

Wölkchen am Himmel mit ihrem Schein purpurrot, sandte sie ihr letztes Licht über die lilaschimmernde Steppe, in deren Mulden schon das Dunkel der frühen Dämmerung lag. Dshamilja blickte still verzückt in das Abendrot, als schaue sie ein märchenhaftes Traumbild. Liebreiz leuchtete aus ihrem Gesicht, kindlich weich lächelte ihr halbgeöffneter Mund. Und da wandte sie sich um, als wolle sie auf meine unausgesprochenen Vorwürfe antworten, die sich mir noch immer auf die Lippen drängten. Sie sprach, als setzten wir ein Gespräch fort:

»Denk doch nicht mehr daran, Kitschine-bala, laß ihn. Ist das etwa ein Mensch?« Sie verstummte, verfolgte mit dem Blick den versinkenden Rand der Sonne, seufzte und fuhr nachdenklich fort: »Woher soll denn so einer wie dieser Osmon wissen, was man im Herzen empfindet? Niemand weiß das. Vielleicht gibt es solche Männer gar nicht auf der Welt.«

Ehe ich die Pferde gewendet hatte, war Dshamilja schon zu den Frauen hinübergelaufen, die neben uns arbeiteten. Ihre lauten fröhlichen Stimmen hallten zu mir herüber. Schwer zu sagen, was in ihr vorgegangen sein mochte, vielleicht war ihr leichter ums Herz geworden, als sie das Abendrot sah, vielleicht freute es sie, daß sie gut gearbeitet hatte. Ich saß hoch oben auf dem heubeladenen Karren und betrachtete sie. Sie hatte ihr weißes Kopftuch abgebunden und lief, die Arme weit ausgebreitet, über die bereits im Abendschatten liegende abgemähte Wiese hinter einer Freundin her. Ihr Kleid flatterte im Wind. Da war auch mein Kummer plötzlich verschwunden. Lohnte es sich denn, über das Geschwätz dieses Osmon nachzugrübeln?

»Also, hü!« rief ich eilig und schlug auf die Pferde ein.

An jenem Tag wartete ich also, wie der Brigadier angeordnet hatte, auf den Vater, damit er mir den Kopf schere. In der Zwischenzeit wollte ich einen Brief von Sadyk beantworten. Auch in dieser Hinsicht gab es bei uns bestimmte Regeln: Meine Brüder schickten die Briefe an den Vater, der Postbote händigte sie der Mutter aus, und ich hatte sie zu lesen und zu beantworten. Ich wußte jedoch schon im voraus, was Sadyk schrieb, denn alle seine Briefe ähnelten einander wie die Lämmer einer Herde. Er begann stets mit den Worten: »Ich gebe Euch Nachricht, daß ich gesund bin.« Dann ging es ganz sicher so weiter: »Ich schicke diesen Brief mit der Post meinen Verwandten, die im duftenden, blühenden Talas-Gebiet wohnen. Als ersten grüße ich meinen lieben, teuren Vater Dsholtschubai.« Dann kam meine Mutter, dann die seine und danach wir anderen in strenger Rangordnung. Hierauf folgten die üblichen Fragen nach Gesundheit und Wohlbefinden der Aksakale und der näheren Verwandten, und erst ganz zum Schluß, wie in größter Eile hinzugefügt, fand sich der Satz: »Und auch meiner Frau Dshamilja sende ich einen Gruß.«

Wenn Vater und Mutter, Aksakale und die nächsten Verwandten im Ail lebten, dann war es nicht üblich, ja sogar anstößig, die Frau als erste zu nennen oder gar einen Brief an sie zu richten. So denkt nicht nur Sadyk, sondern jeder Mann, der etwas auf sich hält; daran gab es nichts zu deuten, das war eben so eingeführt im Ail, und niemand stieß sich daran, ja es fiel niemand auf, zumal jeder Brief ein ersehntes, freudiges Ereignis war, über das man alles andere vergaß.

Die Mutter ließ sich jeden Brief mehrmals von mir vorlesen; dann nahm sie ihn mit frommer Rührung in ihre rauhen Hände und hielt ihn fest wie einen Vogel, der jeden Augenblick davonflattern könnte. Endlich faltete sie ihn mit ihren ungelenken Fingern umständlich wieder zu einem Dreieck zusammen.

»Ach, meine Lieben, wie einen Talismann werden wir eure Briefe hüten!« sagte sie mit tränenerstickter Stimme. »Da erkundigt er sich, wie es Vater, Mutter und den Verwandten geht. Was soll uns schon geschehen, wir sind ja zu Hause in unserem Ail. Aber ihr da draußen? Allein euer Schweigen tötet uns. Schreibt nur ein Wörtchen: Ich lebe, weiter nichts. Mehr brauchen wir nicht.«

Lange betrachtete die Mutter noch den dreieckigen Brief; dann steckte sie ihn in das Lederbeutelchen, in dem alle Briefe verwahrt wurden, und legte es in die Truhe.

Wenn Dshamilja gerade zu Hause war, gab man auch ihr den Brief zu lesen. Ich bemerkte, daß sie jedesmal errötete, wenn sie ein solches zum Dreieck gefaltetes Blatt in die Hand nahm. Sie las begierig, hastig die Zeilen überfliegend. Doch je näher sie dem Schluß kam, desto schlaffer wurden ihre Schultern, und ihre geröteten Wangen erblaßten. Sie zog die eigenwilligen Brauen zusammen und reichte den Brief, ohne die letzten Zeilen gelesen zu haben, so kühl und gleichmütig der Mutter, als gäbe sie etwas zurück, was sie geliehen hatte.

Die Mutter legte Dshamiljas Gebaren auf ihre Art aus und versuchte sie zu ermutigen.

»Was hast du denn?« sagte sie, während sie die Truhe verschloß. »Statt dich zu freuen, läßt du den Kopf hängen! Hast denn nur du einen Mann bei den Soldaten? Du bist ja nicht die einzige, das ganze Volk leidet, ertrag es zusammen mit dem ganzen Volk. Denkst du vielleicht, es gibt welche, die sich nicht einsam fühlen, die sich nicht nach ihren Männern sehnen? Du kannst dich ja grämen, aber du darfst es nach außen hin nicht zeigen! Verbirg's in deinem Inneren!«

Dshamilja schwieg. Doch ihr offener, trauriger Blick schien zu sagen: Ihr könnt mich nicht verstehen, Mütterchen!

Der letzte Brief war, wie auch schon die vorherigen, aus Saratow gekommen. Dort lag Sadyk im Lazarett. Er schrieb, daß er, so Gott wolle, im Herbst wegen der Verwundung nach Hause kommen würde. Das hatte er auch schon früher mitgeteilt, und wir freuten uns alle auf das baldige Wiedersehen mit ihm.

Ich blieb an jenem Tag doch nicht zu Hause, sondern fuhr auf die Tenne. Dort übernachtete ich gewöhnlich. Die Pferde brachte ich auf das Luzernefeld und koppelte sie dort. Der Vorsitzende hatte es verboten, das Vieh auf dem Luzernefeld zu weiden, doch damit meine Pferde kräftig blieben, übertrat ich das Verbot. Ich kannte eine verborgene Stelle in einer Mulde, und außerdem merkte nachts niemand etwas. Als ich aber diesmal die Pferde ausgespannt und auf das Feld geführt hatte, fand ich dort schon vier Pferde vor. Das empörte mich. Ich hatte schließlich einen zweispännigen Wagen zu kutschieren, und das gab mir das Recht, mich zu empören. Ohne lange zu überlegen, beschloß ich, die fremden Pferde wegzutreiben, um dem Frechling, der da in mein Revier eingedrungen war, eine Lehre zu erteilen. Da erkannte ich plötzlich zwei Pferde als die Danijars, des Mannes, von dem der Brigadier einige Stunden zuvor gesprochen hatte. Mir fiel ein, daß wir ja vom nächsten Tag an zusammen das Korn zum Bahnhof fahren sollten. Ich ließ seine Pferde in Ruhe und kehrte zum Dreschplatz zurück.

Hier fand ich Danijar. Er hatte eben die Räder seines Wagens geschmiert und zog jetzt die Muttern an den Achsen fest. »Danijar, sind das deine Pferde in der Mulde?« fragte ich. Danijar drehte langsam den Kopf.

»Zwei davon.«

»Und das andere Paar?«

»Die gehören... Wie heißt sie doch gleich... Dshamilja, nicht? Du bist ja mit ihr verwandt. Ist sie nicht deine Dshene?«

»Ja.«

»Der Brigadier hat sie selbst dorthin gebracht und mir aufgetragen, nach ihnen zu sehen.«

Wie gut, daß ich die Pferde nicht weggetrieben hatte!

Die Nacht brach herein. Der leichte Abendwind, der von den Bergen her wehte, legte sich. Auf der Tenne war es still geworden. Danijar machte es sich neben mir in einem Strohhaufen bequem, doch nach einiger Zeit stand er auf und ging zum Fluß. Er trat nahe an die Uferböschung heran und blieb dort stehen, die Hände auf dem Rücken verschränkt, den Kopf seitwärts geneigt. Ich sah ihn von hinten. Seine hohe, eckige Gestalt hob sich im weichen Mondlicht scharf ab. Sie wirkte wie mit dem Beil aus einem Stück Holz gehauen. Er schien auf das Lärmen des Flusses zu horchen, der in der Nacht besonders laut über die Sandbänke rauschte. Vielleicht lauschte er auch anderen Tönen und Geräuschen der Nacht, die mir verborgen blieben. Er will wieder am Fluß übernachten, der Eigenbrötler! dachte ich spöttisch.

Danijar lebte noch nicht lange in unserem Ail. Während der Heumahd hatte einmal ein kleiner Junge die Nachricht gebracht, daß ein verwundeter Soldat im Ail angekommen sei. Wie er hieß und in welche Familie er gehörte, das wußte der Junge nicht. Ach, war das eine Aufregung! Wie es so ist im Ail, wenn ein Soldat von der Front kommt, laufen alle ohne Ausnahme, alt und jung, in Scharen zusammen, um den Ankömmling zu sehen, ihm die Hand zu drücken, ihn nach Verwandten und Neuigkeiten zu fragen. Auch diesmal erhob sich ein unbeschreibliches Geschrei. Jeder riet herum: Vielleicht war der Bruder zurückgekehrt, vielleicht der Vater? Und auch die Schnitter eilten herbei, um zu erfahren, worum es ging.

Es stellte sich heraus, daß Danijar ein Stammesbruder von uns war und aus unserem Ail stammte. Man erzählte, er sei früh verwaist und habe drei Jahre lang auf verschiedenen Höfen in Armut gelebt, dann sei er zu den Kasachen in die Tschakmakische Steppe davongelaufen, seine Verwandten mütterlicherseits waren Kasachen. Nahe Verwandte, die ihn zurückholen konnten, hatte er nicht, und so vergaß man ihn. Wenn man ihn jetzt fragte, wie es ihm ergangen sei, nachdem er seine Heimat verlassen habe, antwortete er ausweichend, doch man merkte, daß er viel Leid erfahren und das Schicksal eines Waisenkindes ausgiebig kennengelernt hatte. Das Leben hatte ihn wie loses Steppengras in die verschiedensten Gegenden geweht. Lange Zeit hütete er in den Tschakmak-Salzsteppen Schafe; als er herangewachsen war, grub er in der Wüste Kanäle, oder er arbeitete in den neuen Baumwollsowchosen. Später verschlug es ihn in die Angrener Kohlengruben bei Taschkent, und von dort aus ging er zur Armee.

Über die Rückkehr Danijars in seine Heimat freuten sich die Leute im Ail. »Wenn er auch viel umhergeirrt ist, so hat er doch zurückgefunden, es war ihm also bestimmt, das Wasser aus dem heimatlichen Aryk zu trinken. Und auch seine Muttersprache hat er nicht vergessen, sie klingt ein bißchen nach dem Kasachischen hin, aber sonst spricht er ganz echt.

Und die Aksakale meinten: »Tulpar, das Märchenroß, wittert seine Herde selbst am Ende der Welt. Wer liebt nicht seine Heimat, sein Volk! Du hast recht daran getan, daß du zurückgekehrt bist. Wir und die Geister deiner

Vorfahren sind zufrieden. So Gott will, werden wir die Deutschen schlagen und wieder in Frieden leben; du wirst, wie die anderen, eine Familie gründen, und aus deinem Herd wird Rauch aufsteigen.«

Sie erinnerten sich der Vorfahren Danijars und stellten genau fest, aus welcher Sippe er stammte. So tauchte in unserem Ail ein neuer »Verwandter« auf – Danijar.

Bald darauf brachte der Brigadier Orosmat den großen, ein wenig gebückt gehenden Soldaten, der das linke Bein nachzog, zu uns aufs Mahd. Den Uniformmantel über die eine Schulter geworfen, schritt er hastig aus, um nicht hinter der kleinen jungen Stute Orosmats zurückzubleiben. Der Brigadier wirkte neben dem langen Danijar durch seine untersetzte Gestalt und seine Beweglichkeit wie eine aufgescheuchte Uferschnepfe. Wir Kinder mußten sogar lachen.

Das verwundete Bein Danijars war damals noch nicht ganz verheilt, er konnte das Knie nicht beugen. Deshalb taugte er nicht als Schnitter; man setzte ihn bei uns Kindern am Grasmäher ein. Ehrlich gesagt, er gefiel uns nicht besonders. Vor allem paßte uns seine Verschlossenheit nicht. Er sprach wenig, und wenn er schon einmal redete, dann hatte man das Gefühl, als denke er gleichzeitig an etwas ganz anderes, Fernliegendes, als hänge er seinen eigenen Gedanken nach, und man wußte nie, ob er einen überhaupt ansah, selbst wenn er einem mit seinen nachdenklichen, verträumten Augen offen ins Gesicht blickte.

»Der arme Kerl, er kann wahrscheinlich die Front immer noch nicht vergessen«, sagten die Leute von ihm.

Trotz seiner Versonnenheit arbeitete er schnell und zuverlässig. Ein Außenstehender konnte ihn für einen mitteilsamen und freimütigen Menschen halten. Vielleicht hatte ihn die schwere Waisenkindheit gelehrt, Gefühle und Gedanken zu verbergen, sich anderen gegenüber zu verschließen? Vielleicht war es das.

Seine schmalen Lippen waren stets fest geschlossen, so daß sich an den Mundwinkeln harte Falten bildeten; seine Augen blickten traurig und ruhig, nur die geschmeidigen, beweglichen Brauen belebten sein hageres, stets müdes Gesicht. Manchmal horchte er auf, als höre er etwas, was andere nicht wahrzunehmen vermochten, dann zog er die Brauen hoch, und seine Augen leuchteten in rätselhaftem Entzücken. Dann lächelte er lange und freute sich über irgend etwas. Uns kam das alles merkwürdig vor. Und das war es nicht allein, er hatte auch noch andere sonderbare Gewohnheiten. Abends spannten wir die Pferde aus, sammelten uns vor der Hütte und warteten, bis die Köchin das Essen fertig hatte; Danijar hingegen stieg auf den Wachthügel und blieb dort sitzen bis es dunkelte.

»Was treibt er dort bloß? Ist er vielleicht als Wächter eingesetzt worden?« riefen wir lachend aus.

Einmal folgte ich ihm aus Neugier. Ich konnte auf der Anhöhe nichts Besonderes entdecken. Ringsum dehnte sich die weite, in fliederblauem Dämmerlicht liegende Vorgebirgssteppe. Die dunklen, verschwommenen Felsen schienen sich langsam in der Stille aufzulösen. Danijar ließ sich durch mein Kommen nicht im geringsten stören; er saß da, die Hände um die Knie gelegt, und schaute mit nachdenklichem, doch klarem Blick in die Ferne. Und wieder war mir, als lausche er gespannt irgendwelchen, meinem Ohr nicht wahrnehmbaren, Klängen nach. Von Zeit zu Zeit horchte er auf; dann erstarrte er vollends mit weit geöffneten Augen. Ihn quälte etwas, und ich glaubte, er werde im nächsten Augenblick aufspringen und sein Herz ausschütten, aber nicht vor mir – mich bemerkte er gar nicht –, sondern vor etwas Großem, Unfaßbarem, mir Unbegreiflichem. Doch gleich darauf erkannte ich ihn nicht wieder: Müde und zusammengesunken hockte er da, als ruhe er sich nur nach der Arbeit aus.

Das Grasland unseres Kolchos lag in den fruchtbaren Uferniederungen des Kurkurëu. Der Fluß brach unweit unserer Siedlung aus einer Schlucht hervor und ergoß sich dann als ungebändigter, wilder Strom in die Ebene. Zur Zeit der Heuernte führten die Bergflüsse Hochwasser. Auch in diesem Jahr wurde der Kurkurëu eines Abends trübe, und sein Wasser begann schäumend zu steigen. Um Mitternacht erwachte ich in der Hütte von dem machtvollen Dröhnen des Flusses. Unbewegt blickte die blaue Nacht mit ihren Sternen in die Hütte, mitunter wurde ein kühler Windhauch spürbar, die Erde schlief, nur der Fluß toste und schien sich drohend auf uns zuzuwälzen. Obgleich wir nicht unmittelbar am Ufer lagen, glaubte ich in dieser Nacht das Wasser so nahe, daß mich unwillkürlich Angst erfaßte: Wird es uns und unsere Hütte plötzlich fortspülen? Meine Kameraden schliefen den tiefen Schlaf der Schnitter, ich aber fand keine Ruhe und trat ins Freie.

Schön und schrecklich ist die Nacht in den Niederungen des Kurkurëu. Hier und dort zeichnen sich auf den Wiesen die Silhouetten der gekoppelten Pferde ab. Sie haben sich an dem taufeuchten Gras satt gefressen, schnauben von Zeit zu Zeit und schlafen halb. Doch ein Stück weiter drängt der Kurkurëu über das Ufer, er zerrt an den zerzausten, nassen Purpurweiden, und seine Wasser reißen dröhnend die Steine mit sich fort. Der rastlose Fluß erfüllt die Nacht mit rasendem, schaurigem Lärm. Kaltes Grausen packt einen.

In diesen Nächten dachte ich immer an Danijar. Er übernachtete gewöhnlich in den Heuhaufen am Fluß.

Empfand er denn keine Furcht? Machte ihn das Getöse nicht taub? Ob er wohl schlief? Weshalb nächtigte er allein dort am Ufer? Was gefiel ihm daran? Ein merkwürdiger Mensch, nicht von dieser Welt. Wo mochte er jetzt sein? Ich sah mich nach allen Seiten um, doch ich konnte ihn nicht entdecken. In sanften Hügeln verliefen die Ufer in der Ferne. Die Gebirgskämme stiegen in der Dunkelheit auf. Dort oben auf den Gipfeln war es still, ruhig leuchteten über ihnen die Sterne.

Eigentlich wäre es für Danijar an der Zeit gewesen, im Ail Freundschaften zu schließen. Doch er blieb nach wie vor allein; ihm schienen die Begriffe Freundschaft und Feindschaft, Zuneigung und Haß fremd zu sein. Im Ail galt ein Dshigit aber nur dann etwas, wenn er für sich und andere eintreten konnte, wenn er zu Gutem und manchmal auch zu Bösem fähig war, wenn er sich vor den Aksakalen nicht duckte und auf Gelagen oder Gedenkfeiern das Wort führte, auch bei Frauen galten solche Burschen etwas.

Wenn sich jedoch einer wie Danijar stets abseits hielt und sich nicht um die Alltagsangelegenheiten des Ails kümmerte, dann beachtete man ihn einfach nicht mehr, oder man sagte herablassend von ihm: »Na ja, er schadet niemand, er nützt niemand, er lebt eben so dahin, der arme Tropf, laßt ihn halt.«

Ein solcher Mensch war in der Regel Gegenstand von Spötteleien oder von Mitleid. Wir Halbwüchsigen, die wir älter erscheinen wollten, als wir waren, um den richtigen Dshigiten gleich zu sein, machten uns ständig über Danijar lustig, wenn auch nicht in seinem Beisein, so doch unter uns. Wir spotteten sogar darüber, daß er seine Feldbluse selber im Fluß wusch. Wäscht sie aus und zieht sie wieder an – noch feucht: Es war ja seine einzige.

Sonderbarerweise aber geschah es nie, daß wir in der Unterhaltung mit dem stillen und duldsamen Danijar einen familiären Ton anschlugen. Das hatte seinen Grund nicht darin, daß er älter war als wir – genau betrachtet betrug der Unterschied zwischen ihm und uns ja höchstens drei oder vier Jahre, und wir machten sonst mit Männern seines Alters keine Umstände und duzten sie –, er behandelte uns auch nicht grob oder herablassend, was ja mitunter eine Art Hochachtung einflößt, nein, es lag etwas in seiner schweigsamen, finsteren Nachdenklichkeit, was uns, die wir sonst niemand verschonten, hemmte.

Vielleicht hatte ein Erlebnis mit ihm den Anlaß für unsere Zurückhaltung gegeben. Ich war sehr neugierig und fiel den Erwachsenen oft mit meinen Fragen lästig; die Frontsoldaten auszufragen war eine wahre Leidenschaft von mir. Als Danijar während der Mahd bei uns auftauchte, suchte ich ständig nach einer Gelegenheit, um aus ihm, dem Neuen von der Front, etwas herauszuholen.

Eines Abends saßen wir nach der Arbeit am Feuer, aßen und ließen es uns wohl sein.

»Danike, erzähl uns doch was vom Krieg, bevor wir schlafen gehen«, bat ich.

Danijar schwieg zuerst und schien sogar gekränkt zu sein. Lang blickte er ins Feuer, dann hob er den Kopf und sah uns an.

»Vom Krieg, sagst du?« fragte er, und als antworte er auf seine eigenen Gedanken, fügte er tonlos hinzu: »Nein, es ist besser, ihr wißt nichts vom Krieg!«

Dann wandte er sich ab, nahm eine Handvoll trockenen Unkrauts, warf es ins Feuer und schürte die Glut, ohne einen von uns anzublicken.

Mehr sagte Danijar nicht. Doch schon durch seine wenigen Worte hatte er uns zu verstehen gegeben, daß der Krieg etwas war, worüber man nicht im Plauderton sprach, das keinen Stoff für unterhaltsame Geschichtchen vorm Schlafengehen abgab. Über den Krieg, der in des Menschen Adern das Blut erstarren ließ, redete es sich nicht so leicht. Ich schämte mich vor mir selbst. Und ich habe Danijar nie wieder nach dem Krieg gefragt.

Der Abend war indes schnell vergessen, ebenso schnell, wie das Interesse der Ailbewohner für Danijar erlosch.

Früh am nächsten Morgen brachten Danijar und ich die Pferde zur Tenne. Gleichzeitig mit uns kam auch Dshamilja dort an. Als sie uns erblickte, rief sie schon von weitem:

»He, Kitschine-bala, bring meine Pferde hierher! Wo ist mein Geschirr?« Mit Kennermiene, als sei sie zeit ihres Lebens nichts anderes als Fuhrmann gewesen, prüfte sie ihren Wagen, wobei sie sich durch ein paar Fußtritte davon überzeugte, daß die Räder richtig auf den Achsen saßen.

Danijar und ich ritten auf sie zu. Unser Anblick erregte ihre Heiterkeit. Danijars lange, magere Beine staken in weitschäftigen Kirseistiefeln, die jeden Augenblick herabzufallen drohten, und ich trieb das Pferd mit nackten schwarzen Fersen an.

»Ihr seid mir ja ein schönes Paar!« Dshamilja warf ausgelassen den Kopf zurück. Und ohne Zögern kommandierte sie: »Nun mal ein bißchen lebhaft, damit wir vor der Hitze die Steppe hinter uns haben!«

Sie nahm die Pferde am Zaum, führte sie mit sicherer Hand zum Wagen und spannte sie ein. Ganz allein tat sie das, nur einmal fragte sie mich, wie man die Zügel anlegt. Von Danijar nahm sie überhaupt keine Notiz, als wäre er gar nicht da.

Die Entschlossenheit und das herausfordernde Selbstvertrauen Dshamiljas setzten Danijar offensichtlich in Erstaunen. Er sah sie unfreundlich, doch gleichzeitig mit versteckter Bewunderung an, die Lippen abweisend aufeinandergepreßt. Schweigend nahm er einen Sack mit Getreide von der Waage und trug ihn zu seinem Wagen. Doch da trat ihm Dshamilja in den Weg.

»Was denn, soll sich jeder allein abschinden? Nein, mein Lieber, das ist nicht das Rechte! Gib mir mal deine Hand! He, Kitschine-bala, was guckst du in die Luft, steig auf den Wagen und verstau die Säcke!«

Dshamilja ergriff Danijars Hand, und sie trugen den Sack gemeinsam auf den verschlungenen Händen. Der arme Danijar errötete vor Scham und Verlegenheit. Jedesmal, wenn sie einen Sack brachten, wenn sie sich fest bei den Händen hielten und ihre Köpfe sich fast berührten, sah ich, wie quälend peinlich Danijar das war; er biß angespannt auf seine Lippen und bemühte sich, Dshamilja nicht anzusehen. Ihr hingegen machte das nichts aus. Sie schien ihren Partner gar nicht zu bemerken und scherzte mit der Frau an der Waage. Als schließlich die Fuhrwerke vollgeladen waren und wir die Zügel in die Hand nahmen, blinzelte sie verschmitzt und sagte lachend: »Na, Danijar, wie ist's? Du bist doch wohl ein Mann, fahr du als erster!«

Danijar setzte sich mit seinem Gespann schweigend in Bewegung. O, du Jammerlappen, schüchtern bist du also auch noch! dachte ich.

Wir hatten einen weiten Weg vor uns. Er führte etwa zwanzig Kilometer durch die Steppe und durch die Schlucht bis zur Bahnstation. Glücklicherweise ging es bis unmittelbar zum Ziel immer leicht bergab, so daß es die Pferde nicht schwer hatten.

Unser Ail lag am Hang der Großen Berge. Seine dunkel schimmernden Baumgruppen sah man bis zur Einfahrt in die Schlucht.

Am Tag schafften wir nur eine Fahrt. Wir fuhren morgens ab und erreichten die Bahnstation nach Mittag.

Die Sonne brannte unbarmherzig, und auf der Verladestation war kaum durchzukommen, es wimmelte von säckebeladenen Wagen und Karren aus der Ebene, von hochbepackten Maultieren und Ochsen aus fernen Gebirgskolchosen. Halbwüchsige Jungen oder die Frauen der Frontsoldaten hatten sie hergebracht, braungebrannte Gestalten in ausgeblichenen Kleidern, mit bloßen Füßen, wund von den Steinen am Wege, und blutigen, von der Hitze und vom Staub aufgesprungenen Lippen.

Am Tor der Getreideerfassungsstelle hing ein verschossenes Tuch mit der Aufschrift: »Jede Ähre für die Front!« Im Hof drängten und stießen sich schreiend die Kutscher und Viehtreiber. Nebenan, hinter einer niedrigen Mauer aus Saman, rangierte eine Lokomotive; sie stieß dichte Dampfwolken aus und verbreitete den Dunst glutheißer Schlacke. Mit ohrenbetäubendem Gedröhn ratterten Züge vorüber. Die speichelnassen Mäuler aufreißend, brüllten die Kamele zornig und verzweifelt. Sie lagen auf der Erde und wollten sich nicht erheben. Unter einem heißen Blechdach lagerte ein riesiger Haufen Getreide. Man mußte die Säcke über einen hölzernen Laufsteg bis unmittelbar unter das Dach hinaufschleppen. Der Getreidestaub und die drückende Schwüle nahmen einem den Atem.

»He, Burschen, paßt auf!« brüllte unten der Abnehmer, dessen geröteten Augen man ansah, daß er lange nicht geschlafen hatte. »Die Säcke müssen bis nach oben, ganz rauf!« Er drohte mit der Faust und ließ eine Schimpfkanonade vom Stapel.

Weshalb regte er sich auf? Wir wußten doch selbst, wo wir das Korn hinzutragen hatten, und wir wollten uns auch gar nicht davor drücken; schließlich brachten wir es von dem Feld, auf dem Frauen, Greise und Kinder mit saurer Mühe jedes einzelne Körnchen aufgezogen und geerntet hatten, auf dem sich auch jetzt der Kombinefahrer in glühender Hitze mit seinem klapprigen, längst ausgedienten Mähdrescher abplagte, auf dem Frauen unentwegt den Rücken über heiße Sicheln beugten und Kinderhände liebevoll jede verlorene Ähre sammelten.

Ich erinnere mich noch deutlich daran, wie schwer die Säcke waren, die ich damals auf meinem Rücken schleppte. Solch eine Arbeit stand den kräftigsten Männern an. Ständig in Gefahr, das Gleichgewicht zu verlieren, stieg ich über die knarrenden, sich durchbiegenden Bretter des Laufstegs nach oben, die Zähne in das grobe Leinen verbissen, um den Sack mit allen Mitteln zu halten, ihn nicht loszulassen. In meiner Kehle kratzte der Staub, auf dem Rücken drückte die Last, und vor meinen Augen standen feurige Kreise. Oft verzagte ich auf halbem Wege, wenn ich fühlte, daß der Sack erbarmungslos von meinem Rücken herunterrutschte; dann hätte ich ihn am liebsten abgeworfen und mich mit ihm den Getreideberg hinunterrollen lassen. Doch nach mir kamen andere Träger, die auch Säcke schleppten, Jungen wie ich oder Frauen, die Söhne in meinem Alter hatten. Wenn nicht Krieg gewesen wäre, hätte man ihnen dann erlaubt, sich solche Lasten aufzubürden? Nein, ich hatte nicht das Recht schlappzumachen, wo doch Frauen die gleiche Arbeit verrichteten.

Da geht Dshamilja vor mir, das Kleid bis über die Knie aufgeschürzt, und ich sehe, wie sich die festen Muskeln ihrer sonnengebräunten schönen Beine anspannen, wie sich ihr geschmeidiger Körper unter der Last des Sackes beugt und mit welcher Anstrengung sie sich aufrecht hält. Mitunter hält sie einen Augenblick ein und sagt, als fühle sie, daß meine Kräfte mit jedem Schritt nachlassen:

»Halt aus, Kitschine-bala, es ist nicht mehr viel!«

Dabei klingt ihre Stimme selbst dumpf, gepreßt.

Manchmal kam uns Danijar entgegen, wenn wir unsere Säcke geleert hatten und zurückkehrten. Leicht hinkend, stieg er mit starken, gleichmäßigen Schritten den Laufsteg hinauf, wie immer einsam und schweigend. Wenn er mit uns auf gleicher Höhe war, musterte er Dshamilja mit finsterem, glühendem Blick, und sie streckte den müden Rücken und strich ihr zerdrücktes Kleid glatt. Er betrachtete sie jedesmal, als hätte er sie noch nie gesehen, und Dshamilja tat immer wieder, als bemerke sie ihn nicht.

Ja, es hatte sich so eingespielt: Dshamilja machte sich entweder über ihn lustig, oder sie beachtete ihn nicht, je nachdem, wie sie gerade aufgelegt war. Da fahren wir so dahin, plötzlich fällt ihr ein, mir zuzurufen: »Los, schneller!« Die Peitsche über dem Kopf schwingend, feuert sie mit lauter Stimme die Pferde zum Galopp an. Ich jage ihr nach. Wir überholen Danijar und hüllen ihn in eine dichte Staubwolke, die sich lange nicht wieder ablagert. Obwohl das im Scherz geschah, hätte es sich wohl nicht jeder Mann ruhig gefallen lassen. Doch Danijar fühlte sich offenbar nicht gekränkt. Als wir an ihm vorbeirasten, musterte er die laut lachend in ihrem Wagen stehende Dshamilja mit mürrischem Entzücken. Ich drehte mich um. Selbst durch den Staub sah er ihr noch nach. Es war etwas Gutes, alles Vergebendes in seinem Blick, doch ich erriet in ihm auch noch etwas anderes: verborgene, unstillbare Trauer, wie man sie empfindet, wenn man etwas heiß ersehnt, das einem unerreichbar ist.

Weder Dshamiljas Spott noch ihre völlige Gleichgültigkeit ließen Danijar seine Zurückhaltung auch nur ein einziges Mal vergessen. Es war, als habe er sich geschworen, alles zu ertragen.

Anfangs tat er mir leid, und ich sagte mehrmals zu Dshamilja: »Warum machst du dich denn immer über ihn lustig, Dshene? Er tut doch niemand was.«

»Ach der!« lachte Dshamilja und winkte ab. »Es ist ja nur Spaß, das schadet dem alten Griesgram nichts.«

Später neckte und verspottete ich Danijar nicht weniger als Dshamilja. Allmählich beunruhigten mich seine seltsamen, beharrlichen Blicke. Wie starrte er Dshamilja an, wenn sie sich einen Sack auf die Schultern lud! Allerdings zog sie auch die Blicke anderer auf sich. Ihre Bewegungen waren in all dem Heidenlärm, dem Gedränge und Markt-getümmel des Hofes, inmitten der sich schiebenden und heiser schreienden Menschen so sicher und gewandt, ihr Gang so leicht, als berühre sie das alles gar nicht.

Man mußte sie einfach ansehen. Wenn sie einen Sack vom Wagen ablud, reckte sie sich, hob die Schulter, um die Last aufzunehmen, und neigte den Kopf zur Seite, so tief, daß sich ihr schöner Hals entblößte und ihre in der Sonne rötlich schimmernden Zöpfe fast die Erde berührten. Danijar unterbrach wie zufällig seine Arbeit und folgte ihr mit dem Blick bis zur Tür. Wahrscheinlich glaubte er sich unbeobachtet, doch ich bemerkte alles, und sein Gehabe mißfiel mir mehr und mehr. Ich fühlte mich sogar in gewisser Art beleidigt, denn in meinen Augen stand Dshamilja hoch über ihm.

Wenn sich selbst der schon in sie vergafft, dachte ich, aus tiefstem Herzen empört, was soll man da noch von den anderen erwarten! Und in meinem kindlichen Egoismus, den ich noch nicht abgelegt hatte, packte mich eine glühende Eifersucht. Ein Kind ist ja immer auf Fremde eifersüchtig, die sich seinen Angehörigen nähern. Und anstelle von Mitgefühl empfand ich jetzt für Danijar Feindseligkeit, so daß es mich freute, wenn sich jemand über ihn lustig machte.

Doch für Dshamilja und mich fanden einmal die Hänseleien, die wir uns vor Danijar herausnahmen, ein jähes Ende. Unter den Säcken, in denen wir das Getreide transportierten, war auch ein übermäßig großer aus grobem Wollgewebe, der sieben Pud faßte. Wir trugen ihn gewöhnlich zu zweit, für einen allein war er zu schwer. Eines Tages kam uns auf der Tenne der Gedanke, Danijar einen Streich zu spielen. Wir luden den großen Sack auf seinen Wagen und stapelten andere darüber. Auf dem Weg zur Bahnstation machten Dshamilja und ich bei einem russischen Dorf halt und holten uns in einem Garten eine gehörige Menge Äpfel. Dshamilja warf mit den Früchten nach Danijar, und wir lachten während der ganzen Fahrt. Dann überholten wir ihn wie gewöhnlich, und er verschwand in einer Staubwolke. Er holte uns erst hinter der Schlucht beim Bahnübergang ein. Die Schranke war geschlossen. So kamen wir zusammen auf dem Bahnhof an. Den Siebenpudsack hatten wir völlig vergessen. Wir dachten erst wieder daran, als das Abladen schon fast beendet war. Dshamilja stieß mich übermütig in die Seite und deutete mit dem Kopf auf Danijar. Er stand auf seinem Wagen, betrachtete besorgt den Sack und überlegte offensichtlich, was er mit ihm machen sollte. Dann sah er sich nach allen Seiten um. Als er bemerkte, daß Dshamilja ein Lachen unterdrückte, wurde er über und über rot, er begriff, was gespielt wurde.

»Schnall dir die Hosen fest, sonst verlierst du sie unterwegs!« rief Dshamilja.

Danijar warf uns einen zornigen Blick zu. Ehe wir uns besinnen konnten, hatte er den Sack über die Ladefläche zum Seitenbalken geschleift und auf die Kante gestellt; dann sprang er herab, den Sack mit einer Hand stützend, wälzte ihn sich auf die Schulter und ging los. Anfangs taten wir so, als sei dabei nichts Besonderes. Die anderen rührten sich natürlich erst recht nicht: Da trug ein Mann einen Sack, das tat ja hier jeder. Doch als Danijar den Laufsteg erreichte, lief Dshamilja hinter ihm her.

»Stell ihn ab! Es sollte doch nur ein Scherz sein!«

»Geh weg!« erwiderte Danijar scharf und betrat die Planken.

»Sieh einer an, er schleppt ihn!« sagte Dshamilja, wie um sich zu rechtfertigen. Sie lachte immer noch leise, doch es klang unnatürlich, als zwinge sie sich dazu.

Wir bemerkten, daß Danijar auf seinem verwundeten Bein stark zu hinken begann. Warum hatten wir bloß nicht vorher an sein Bein gedacht? Bis heute kann ich mir diesen dummen Streich nicht verzeihen, denn ich Narr hatte ihn ausgeheckt.

»Kehr um!« schrie Dshamilja mit erstickendem Lachen. Doch das konnte Danijar nicht mehr, hinter ihm gingen schon andere.

Ich erinnere mich nicht genau an alles, was weiter geschah. Gebückt unter dem riesigen Sack, den Kopf tief gesenkt und die Zähne in die Unterlippe gepreßt, schritt Danijar langsam voran, das verwundete Bein vorsichtig aufsetzend. Wenn er es belastete, empfand er offensichtlich einen so heftigen Schmerz, daß er jedesmal mit dem Kopf zuckte und sekundenlang wie betäubt innehielt. Und je weiter er den Laufsteg hinaufstieg, desto stärker schwankte er von einer Seite auf die andere. Der Sack riß ihn hin und her. Der Anblick war mir so furchtbar, und ich schämte mich so sehr, daß mir ganz trocken in der Kehle wurde. Starr vor Entsetzen, fühlte ich mit Leib und Seele die Schwere seiner Last und den unerträglichen Schmerz in seinem Bein nach. Jetzt riß es ihn wieder zur Seite, er schüttelte den Kopf, vor meinen Augen drehte sich alles, es wurde dunkel um mich, und der Boden schwankte unter meinen Füßen.

Ich kam erst wieder zur Besinnung, als mich plötzlich jemand derb und schmerzhaft am Arm packte. Ich erkannte Dshamilja nicht sofort. Sie sah totenbleich aus, die Pupillen in ihren weit geöffneten Augen waren riesengroß, und ihre Lippen zuckten noch von dem eben verstummten Lachen. Wir standen nicht mehr allein, alle, die sich gerade auf dem Hof aufhielten, auch der Abnehmer, waren am Fuße des Brettersteges zusammengelaufen. Danijar machte noch zwei Schritte; er wollte den Sack auf dem Rücken zurechtrücken und sank langsam in die Knie. Dshamilja bedeckte ihr Gesicht mit den Händen.

»Wirf ihn weg! Wirf den Sack weg!« schrie sie.

Doch das tat Danijar sonderbarerweise nicht, obwohl er seine Last längst neben dem Laufsteg hätte fallen lassen können, allein schon, um die Träger hinter sich nicht aufzuhalten. Als er Dshamiljas Stimme hörte, riß er sich zusammen und streckte sein Bein. Er machte einen Schritt und taumelte wieder.

»So wirf ihn doch weg, Hundesohn!« brüllte der Abnehmer.

»Wegwerfen!« schrien die Leute.

Doch Danijar fand auch diesmal das Gleichgewicht wieder.

»Nein, er wirft ihn nicht weg«, murmelte jemand überzeugt.

Alle, sowohl die, die Danijar auf dem Laufsteg folgten,

als auch die am Fuß des Kornbergs Stehenden, fühlten offenbar, daß es einen Grund hatte, wenn er den Sack nicht abwarf, solange ihn dieser nicht zu Boden riß. Totenstille trat ein. Hinter der Mauer pfiff in langen Intervallen eine Lokomotive.

Danijar stieg schwankend wie ein Betäubter unter dem heißen Blechdach weiter nach oben. Die Bretter bogen sich unter ihm. Alle zwei Schritte hielt er inne, mit Mühe das Gleichgewicht haltend. Nachdem er Kräfte gesammelt hatte, setzte er seinen Weg fort. Die hinter ihm suchten sich ihm anzupassen und blieben ebenfalls alle zwei Schritte stehen. Das zermürbte und kostete Kraft, doch niemand empörte sich, niemand schimpfte auf Danijar. Es war, als wären die Träger alle durch ein unsichtbares Seil miteinander verbunden, als bewegten sie sich mit ihrer Last auf einem gefährlichen, schlüpfrigen Pfad, auf dem das Leben des einen vom anderen abhing. In ihrem einträchtigen Schweigen und dem gleichmäßigen Schwanken lag ein einheitlicher, schwerer Rhythmus. Zwei Schritte hinter Danijar her, eine kurze Rast, und wieder zwei Schritte. Die Frau, die unmittelbar hinter ihm ging, sah ihn unendlich mitleidig und flehend an. Sie hielt sich selbst kaum noch auf den Beinen, doch sie fühlte mit ihrem Vordermann.

Nur ein kleines Stück war noch zu überwinden, dann endete der schräge Teil des Laufsteges. Danijar taumelte wieder, das verwundete Bein gehorchte ihm nicht mehr. Er konnte im nächsten Augenblick stürzen, wenn er den Sack nicht fallen ließ.

»Lauf! Stütz ihn von hinten!« rief mir Dshamilja zu. Sie selbst streckte ratlos die Arme aus, als könnte sie Danijar damit helfen.

Ich schlängelte mich auf dem Laufsteg zwischen den

Trägern und Säcken durch und erreichte Danijar. Er warf unter dem Ellbogen hervor einen Blick auf mich. An seiner roten Stirn pulsten die Adern, der Schweiß rann ihm übers Gesicht, die blutunterlaufenen Augen blitzten mich zornig an. Ich wollte den Sack stützen. »Weg da!« keuchte er drohend und bewegte sich vorwärts.

Als er schweratmend und hinkend wieder nach unten kam, hingen seine Arme schlaff herab. Die Menge trat schweigend vor ihm auseinander, doch der Abnehmer konnte nicht an sich halten und schrie: »Was ist denn mit dir los, Kerl, bist du verrückt? Bin ich denn kein Mensch, hätte ich dir nicht erlaubt, den Sack hier unten auszuschütten? Weshalb schleppst du so ein Riesending?«

»Das ist meine Sache«, antwortete Danijar leise.

Er spuckte zur Seite aus und ging zu seinem Wagen. Wir aber wagten nicht den Blick zu heben. Wir schämten uns und machten uns Vorwürfe, weil Danijar unseren törichten Streich so ernst genommen hatte.

Die ganze Nacht fuhren wir schweigend. Für Danijar war das natürlich. Deshalb konnten wir nicht ergründen, ob er uns zürnte oder schon alles vergessen hatte. Doch uns war schwer ums Herz, und wir hatten ein schlechtes Gewissen.

Als wir am nächsten Morgen die Wagen auf der Dreschtenne beluden, nahm Dshamilja den unseligen Sack, trat mit einem Fuß darauf und riß ihn mittendurch.

»Hier hast du den Fetzen!« sagte sie und warf ihn der verwunderten Frau an der Waage vor die Füße. »Und sag dem Brigadier, er soll uns künftig nicht solche Dinger andrehen!«

»Was soll denn das heißen? Was ist denn mit dir?«

»Nichts.«

Den ganzen folgenden Tag gab Danijar auf keine Weise

zu erkennen, ob er gekränkt war. Wie immer verhielt er sich ruhig und schweigsam, nur hinkte er stärker als gewöhnlich, besonders wenn er Säcke trug. Sicher war am Tag zuvor seine Wunde wieder aufgebrochen. Das erinnerte uns fortwährend an unsere Schuld vor ihm. Hätte er auch nur einmal gelacht oder gescherzt, dann wäre uns leichter gewesen; so aber blieb die Spannung zwischen uns.

Dshamilja versuchte ebenfalls so zu tun, als sei nichts Besonderes vorgefallen. Sie gab sich stolz wie immer, sie lachte sogar, doch ich sah, daß sie sich den ganzen Tag über nicht recht wohl fühlte.

Wir kehrten erst spät von der Bahnstation zurück. Danijar fuhr vornweg. Es war eine herrliche Nacht. Wer kennt nicht die Augustnächte mit ihren fernen und doch so nahen, ungewöhnlich klaren Sternen! Jedes Sternchen war deutlich zu sehen. Eines davon, es schien mit Reif bedeckt und von einem Strahlenkranz blitzender Eiskristalle umgeben, blickte in naivem Staunen vom dunklen Himmel herab zur Erde. Während wir durch die Schlucht fuhren, sah ich lange zu ihm hinauf. Die Pferde trabten freudig heimwärts; unter den Rädern knirschte der Schotter. Der Wind trug den bitteren Blütenstaub des Wermuts aus der Steppe herüber, in der Luft lag ein feiner Duft nach sich abkühlendem reifem Getreide; im Verein mit dem Geruch des Wagenteers und der schweißigen Pferdegeschirre verwirrte einem das ein wenig den Kopf.

Auf der einen Seite stiegen mit Heckenrosen bewachsene dunkle Felsen über dem Weg auf, und zur anderen toste, weit unten im Dickicht der Purpurweiden und der wildwachsenden Pappeln, der rastlose Kurkurëu. Ab und zu brausten irgendwo hinter uns Eisenbahnzüge mit alles übertönendem Getöse über eine Brücke; und lange hallte noch das Klopfen der Räder nach.

Es war schön, in der nächtlichen Kühle dahinzufahren, auf die schwankenden Pferderücken zu schauen, in die Augustnacht zu lauschen und ihre Düfte einzuatmen. Dshamilja fuhr vor mir. Sie ließ den Pferden freien Lauf, sah mal hierhin, mal dorthin und sang leise vor sich hin. Ich wußte, was in ihr vorging, unser Schweigen bedrückte sie. In einer solchen Nacht durfte man nicht schweigen, in einer solchen Nacht mußte man singen!

Und sie sang. Vielleicht tat sie es auch deshalb, weil sie die frühere Unbefangenheit in unseren Beziehungen zu Danijar wiederherstellen und das Gefühl ihrer Schuld vor ihm loswerden wollte. Sie hatte eine klangvolle, kecke Stimme, und sie sang die üblichen Liedchen, die man im Ail kannte, wie »Mit einem Seidentüchlein will ich dir winken« oder »Auf fernen Straßen zieht mein Liebster«. Sie kannte viele Lieder und sang sie mit schlichter Hingabe; man lauschte ihr gern. Plötzlich brach sie ab und rief dem vorausfahrenden Danijar zu: »He, Danijar, sing doch auch mal was! Bist doch ein Dshigit, oder?«

»Sing du nur, Dshamilja!« erwiderte Danijar verlegen, die Pferde ein wenig zügelnd. »Ich höre dir zu, beide Ohren habe ich aufgesperrt.«

»Du denkst wohl, wir haben keine Ohren? Überleg dir mal was! Aber wenn du nicht willst, dann laß es bleiben!« Sie stimmte ein neues Lied an.

Wer weiß, weshalb sie ihn gebeten hatte zu singen, vielleicht hatte es keinen besonderen Grund, vielleicht wollte sie ihn in ein Gespräch ziehen. Das war wohl am wahrscheinlichsten, denn kurz danach rief sie wieder: »Sag mal, Danijar, warst du schon mal verliebt?« Sie lachte selbst über ihre Frage.

Danijar antwortete nicht. Auch Dshamilja sagte nichts mehr.

Da hat sie den Richtigen gebeten zu singen! dachte ich lächelnd.

An einem kleinen Wasserlauf, der den Weg kreuzte, verlangsamten die Pferde den Gang. Ihre Hufe klirrten auf den nassen silberglänzenden Steinen. Als wir den Bach durchquert hatten, trieb Danijar seine Tiere wieder an und begann unerwartet mit befangener, bei jedem Schlagloch stockender Stimme zu singen:

> Ihr meine Berge, ihr blauweißen Berge,
> Land meiner Ahnen und Väter!

Er hielt inne und hüstelte, doch die nächsten beiden Verse sang er mit tiefer Bruststimme, wenn auch ein bißchen heiser:

> Ihr meine Berge, ihr blauweißen Berge,
> wo meine Wiege stand...

Hier stockte er abermals, als sei er erschrocken. Er sang nicht weiter.

Ich stellte mir lebhaft vor, wie verlegen er war. Doch schon aus diesen zaghaften Ansätzen klang etwas ungewöhnlich Erregendes. Er mußte eine schöne Stimme haben, man glaubte einfach nicht, daß es Danijar war, der da eben gesungen hatte.

»Sieh einer an!« platzte ich heraus. Und Dshamilja rief sogar ganz hingerissen: »Warum hast du uns denn noch nie was vorgesungen? Nun mal los, aber richtig!«

Vor uns tauchte ein heller Lichtfleck auf, es war die Ausfahrt aus der Schlucht in die Ebene. Ein sanfter Wind wehte von dorther. Danijar sang wieder. Er begann abermals schüchtern und unsicher, doch allmählich gewann seine Stimme Kraft, sie erfüllte die ganze Schlucht und hallte von den fernen Felsen wider.

Am meisten überraschten mich die Leidenschaft und die glühende Begeisterung, die aus der Melodie klangen. Ich wußte nicht, wie ich das nennen sollte, und ich weiß es auch heute noch nicht, vielmehr ich kann nicht bestimmen, inwieweit das an der Stimme lag oder an etwas Wichtigerem, das unmittelbar aus dem Herzen quillt, das die Kraft hat, in anderen die gleiche Erregung auszulösen und die schlichtesten Worte mit Leben zu erfüllen.

Wenn ich doch das Lied Danijars auch nur annähernd wiedergeben könnte! Es hatte fast keinen Text, ohne Worte öffnete es die ganze weite menschliche Seele. Nicht vorher, nicht nachher – niemals habe ich ein solches Lied gehört. Es glich weder den kirgisischen noch den kasachischen Gesängen, und doch barg es die einen wie die anderen in sich. Danijars Lied griff die schönsten Melodien der beiden verwandten Völker auf und verflocht sie auf eigene Art zu einer einheitlichen, einzigartigen Musik. Es war das Lied der Berge und Steppen, mal stieg es tönend auf wie die kirgisischen Berge, mal strömte es hin, weit wie die kasachische Steppe.

Ich lauschte und wunderte mich: Jetzt sieht man erst, was in diesem Danijar drinsteckt! Wer hätte das gedacht!

Wir befanden uns bereits in der Steppe, auf dem weichen, ausgefahrenen Weg. Danijars Gesang breitete sich jetzt frei in der Ebene aus. Immer neue Melodien lösten einander ab und flossen harmonisch ineinander über. War denn Danijar so reich? Was war mit ihm vorgegangen? Als habe er nur auf seinen Tag, seine Stunde gewartet!

Mir erschienen auf einmal all seine seltsamen Gewohnheiten, die bei den Leuten Unverständnis und Spott hervorriefen – seine Verträumtheit, seine Neigung zur Einsamkeit, seine Schweigsamkeit –, in einem anderen Licht. Ich wußte jetzt, warum er abendelang auf dem Wachthügel saß, warum er die Nächte einsam am Fluß verbrachte, warum er ständig nur ihm wahrnehmbaren Klängen nachlauschte und warum seine Augen zuweilen auflodertern und die Brauen sich plötzlich erwartungsvoll hoben. Das war ein Mensch, der eine tiefe Liebe in sich trug. Keine Liebe, das fühlte ich, wie man sie für einen anderen empfindet, sondern eine weit größere, die Liebe zum Leben, zur Erde. Ja, er verwahrte diese Liebe in sich, in seiner Musik, er lebte durch sie. Ein gleichgültiger Mensch hätte niemals so singen können.

Als der letzte Nachhall des Liedes schon zu verklingen schien, weckte ein neuer, schwingend aufsteigender Einsatz die schlummernde Steppe. Und sie hörte dem Sänger dankbar zu, dessen ihr vertraute Melodie sie liebkoste. Sanft wogten die weiten, reifen, graublau schimmernden Kornfelder, die noch auf die Mahd warteten. Helle, dem Morgendämmern vorauseilende Lichtflecke huschten über das ebene Land. Bei der Mühle rauschte das Laub einer alten, mächtigen Weidengruppe. Jenseits des Flusses verglühten die Feuer der Feldlager. Lautlos wie ein Schatten sprengte ein Reiter am Ufer entlang auf den Ail zu, bald in den Gärten verschwindend, bald wieder auftauchend. Der laue Wind roch nach Äpfeln, gleichzeitig spürte man den an frischgemolkene Milch erinnernden Duft von blühendem Mais und den warmen Geruch trocknenden Kamelmistes.

Lange, selbstvergessen sang Danijar. Stumm lauschte ihm die verzauberte Augustnacht. Selbst die Pferde waren in einen langsamen Tritt gefallen, als fürchteten sie, das Wunder zu zerstören.

Da brach Danijar plötzlich sein Lied mit einem ganz hohen, silbrig klingenden Ton ab und trieb schnalzend die Pferde an.

Ich dachte, Dshamilja würde ihm folgen, und schickte mich ebenfalls zu schnellerer Fahrt an, doch sie rührte sich nicht. Sie blieb unbeweglich sitzen, den Kopf seitwärts geneigt, und schien noch immer den in der Luft schwebenden, für sie nicht verklungenen Tönen zu lauschen. Danijar fuhr davon, und wir wechselten bis zum Ail kein Wort. Warum sollten wir auch sprechen? Man muß nicht immer in Worten reden, und nicht immer kann man es ...

Seit diesem Tage schien sich in unserem Leben etwas verändert zu haben. Ich wartete jetzt ständig auf etwas Gutes, Erwünschtes. Morgens beluden wir auf dem Dreschplatz die Wagen, dann fuhren wir zur Bahnstation, und von dort konnten wir nicht schnell genug wegkommen, um auf dem Rückweg Danijars Lieder zu hören. Seine Stimme nahm mich völlig gefangen, sie begleitete mich auf Schritt und Tritt. Ich hörte sie morgens, wenn ich durch die taufeuchte Luzerne zu den gekoppelten Pferden lief und die Sonne vor mir strahlend hinter den Bergen aufstieg. Ich hörte sie in dem weichen Rauschen des goldenen Weizenregens, wenn die alten Worfler die Körner mit ihren Schaufeln in den Wind warfen, beim Anblick eines hoch über der Steppe kreisenden einsamen Milans, bei allem, was ich sah und hörte, vernahm ich Danijars wundersame Melodien.

Und wenn wir abends durch die Schlucht fuhren, dann schien es mir jedesmal, als wäre ich in eine andere Welt versetzt. Ich hörte Danijar mit geschlossenen Augen zu, und vor mir erstanden seltsam bekannte, mir aus frühester Kindheit vertraute Bilder: Mal glitten hoch oben über Nomadenzelten flockige graublaue Frühlingswolken dahin; mal sprengten stampfend und wiehernd Pferdeherden auf das sommerliche Weideland, Hengstfüllen darunter mit wehendem Stirnhaar und wildem schwarzem

Feuer in den Augen, die ihre Mutterstuten ausgelassen umkreisten; mal zogen Schafe in ruhigem breitem Strom über die Vorberge; mal stürzte ein Wasserfall von hohen Felsen herab, die Augen blendend mit seinem weißen, brausenden Gischt; mal sank die Sonne hinter dem Fluß sanft in das üppige Steppengras, und ein einsamer ferner Reiter am feurigen Horizont sprengte ihr nach – mit der Hand schien er an sie heranzureichen –, bis auch er im Gras und in der Dämmerung untertauchte.

Weithin erstreckt sich jenseits des Flusses die kasachische Steppe. Sie hat unsere Berge zu beiden Seiten auseinandergeschoben und liegt nun zwischen ihnen, rauh und menschenleer.

Doch in dem denkwürdigen Sommer, in dem der Krieg ausbrach, loderten Feuer in der Steppe auf; zur Front abziehende Pferdeherden hüllten sie in heiße Staubwolken, und berittene Boten durchsprengten sie in allen Richtungen. Ich entsinne mich, wie vom anderen Ufer ein Kasache zu Pferd mit der kehligen Stimme der Hirten herüberrief:

»In den Sattel, Kirgisen! Der Feind ist im Land!« und durch den Staub und die flimmernd heiße Luft weiterjagte.

Die Steppe bot alles auf. Mit feierlich-dumpfem Dröhnen zogen unsere ersten berittenen Regimenter von den Bergen herab und durch die Täler. Tausende Sporen klirrten, Tausende Dshigiten blickten in die Steppe. Voran flatterten die roten Banner an den Schäften, hinter dem Staub der Hufe ertönte die erhabene, traurige Klage der Frauen und Mütter: »Die Steppe möge euch beistehen, der Geist unseres Recken Manas euch helfen!«

Dort, wo das Volk in den Krieg zog, blieben bittere Spuren zurück.

Diese ganze Welt irdischer Schönheit und Unrast zeigte mir Danijar durch sein Lied. Wo hatte er das gelernt, von wem das alles gehört? Ich begriff, daß nur derjenige seine Heimat so innig lieben konnte, der sich lange Jahre hindurch mit ganzem Herzen nach ihr gesehnt hatte, dessen Liebe durch Leiden gereift war. Wenn Danijar sang, dann sah ich auch ihn selbst, wie er als kleiner Junge auf den Straßen der Steppe dahinwanderte. Waren vielleicht damals in seiner Seele die Lieder von der Heimat geboren worden? Oder aber auch in der Zeit, als er das Toben des Krieges erlebte?

Wenn ich ihn singen hörte, dann hätte ich mich am liebsten zur Erde geworfen und sie wie ein dankbarer Sohn umarmt, allein schon dafür, daß ein Mensch sie so lieben konnte. Damals fühlte ich zum erstenmal etwas Neues in mir erwachen. Ich konnte es noch nicht fassen, doch es war etwas Unüberwindliches, es war das Bedürfnis, sich mitzuteilen, ja, sich mitzuteilen, nicht nur selbst die Welt zu sehen und zu empfinden, sondern anderen das Entdeckte, die eigenen Gedanken und Gefühle zu vermitteln, von der Schönheit unserer Erde zu erzählen, genauso mitreißend, wie es Danijar tat. Furcht und Freude vor dem Ungewissen ließen mir das Herz stocken. Ich wußte damals noch nicht, daß ich den Pinsel zur Hand nehmen sollte.

Seit meiner Kindheit zeichne ich gern. Wenn ich die Bilder aus meinen Schulbüchern abmalte, sagten die Kinder, daß es mir »haargenau« gelungen sei. Die Lehrer in der Schule lobten meine Zeichnungen an unserer Wandzeitung. Doch dann begann der Krieg; meine Brüder gingen zur Armee, und ich gab die Schule auf und arbeitete im Kolchos wie alle meine Altersgenossen. Ich vergaß Farben und Pinsel und dachte nicht, daß ich sie jemals wieder zur Hand nehmen würde. Und nun riefen Danijars Lieder diese Unruhe in meinem Herzen wach. Ich lebte wie im Traum und betrachtete die Welt mit staunenden Augen, als sähe ich sie zum ersten Mal.

Und wie sich Dshamilja plötzlich verändert hatte! Nichts erinnerte mehr an das muntere, stets zu Scherzen aufgelegte Mädchen mit der spitzen Zunge. Ihre Augen schimmerten dunkler, ihr Blick war verschleiert, nach innen gekehrt. Wenn wir unterwegs waren, dachte sie immerfort angestrengt nach. Ein verträumtes Lächeln spielte um ihre Lippen, sie freute sich still über etwas Schönes, von dem nur sie allein wußte. Es geschah, daß sie sich einen Sack auf die Schultern lud und mit ihm stehenblieb, als hätte sie einen reißenden Fluß vor sich und wüßte nicht, ob sie weitergehen sollte oder nicht. Danijar ging sie aus dem Wege, sie sah ihm nicht in die Augen.

Einmal sagte sie auf der Tenne in erzwungen mürrischem Ton zu ihm: »Du solltest mal deine Bluse ausziehen. Gib sie mir, ich wasche sie.«

Nachher breitete sie die Bluse zum Trocknen aus. Sie setzte sich daneben, strich sie lange und sorgsam mit den Handflächen glatt, betrachtete in der Sonne die fadenscheinig gewordenen Schultern, schüttelte den Kopf und strich abermals sanft und wehmütig darüber hin.

Nur einmal während dieser ganzen Zeit lachte Dshamilja laut und herzhaft, und ihre Augen blitzten wie früher. Eine Schar junger Frauen, Mädchen und Dshigiten kehrte von der Arbeit zurück und kam an der Tenne vorbei.

»He, ihr Bajs, wollt ihr das ganze Weizenbrot allein essen? Gebt uns was ab, sonst werfen wir euch in den Fluß!« riefen die Dschigiten und drohten mit den Heugabeln.

»Vor euren Gabeln haben wir keine Angst! Meinen Freundinnen gebe ich was, aber ihr versorgt euch nur selber!« erwiderte Dshamilja mit heller Stimme.

»Na schön, dann fliegt ihr alle ins Wasser!«

Und die Burschen stürzten sich auf die Mädchen. Schreiend, kreischend und lachend stießen sie einander in den Fluß.

»Faßt sie, zieht sie mit rein!« rief Dshamilja. Sie lachte am lautesten von allen und entwand sich den Angreifern rasch und geschickt.

Doch seltsamerweise schienen es die Dshigiten allein auf Dshamilja abgesehen zu haben. Jeder versuchte sie zu fassen und an sich zu ziehen. Drei Burschen packten sie auf einmal und trugen sie ans Ufer.

»Gib uns einen Kuß, sonst werfen wir dich rein!«

»Los, mit Schwung!«

Dshamilja versuchte sich zu befreien, bog lachend den Kopf zurück und rief laut die Freundinnen zu Hilfe. Doch die rannten aufgeregt am Ufer hin und her und fischten nach ihren Kopftüchern. Dshamilja flog unter dem einmütigen Gelächter der Dshigiten ins Wasser. Mit wirren, nassen Haaren stieg sie wieder heraus. Sie sah jetzt noch hübscher aus als sonst. Das nasse Kattunkleid klebte an ihrem Körper; deutlich zeichneten sich ihre runden kräftigen Hüften und ihre mädchenhafte Brust ab. Sie aber merkte von alledem nichts, sie lachte unbekümmert, und über ihr erhitztes Gesicht rannen lustige kleine Bäche.

»Einen Kuß!« drängten die Dshigiten.

Dshamilja küßte sie, wurde aber noch einmal ins Wasser geworfen. Lachend stieg sie heraus und warf die nassen, schweren Haare zurück.

Alle lachten über die Späße der Burschen und Mädchen. Die alten Männer hatten ihre Worfschaufeln zur

Seite gelegt und wischten sich die Tränen ab. Ihre faltigen braunen Gesichter strahlten vor Freude und schienen einen Augenblick lang wieder jung. Auch ich lachte aus vollem Hals; ich hatte meine Eifersucht vergessen und dachte auch nicht daran, Dshamilja vor den Dshigiten zu beschützen.

Nur Danijar blieb ernst. Als mein Blick auf ihn fiel, verging mir das Lachen. Er stand mit gespreizten Beinen allein am Rande des Dreschplatzes, als wolle er im nächsten Augenblick loslaufen, um Dshamilja den Händen der Dshigiten zu entreißen. Unverwandt sah er sie an, und aus seinem trüben, gebannten Blick sprachen Schmerz und Freude. Ja, für ihn bedeutete die Schönheit Dshamiljas Glück und Leid zugleich. Als die Dshigiten Dshamilja an sich drückten und sie zwangen, jeden zu küssen, ließ er den Kopf sinken; er machte eine Bewegung, als wollte er weggehen, blieb aber dann.

Inzwischen hatte auch Dshamilja ihn bemerkt. Sie hörte sofort auf zu lachen und senkte den Blick.

»Genug Unfug getrieben!« wies sie die außer Rand und Band geratenen Dshigiten unerwartet zurecht.

Einer versuchte noch, sie zu umarmen.

»Laß das!« sagte sie und stieß ihn zurück.

Sie warf stolz den Kopf in den Nacken, sah flüchtig und schuldbewußt zu Danijar hinüber und lief in die Büsche, um ihr Kleid auszuwringen.

Ich wußte mir das Verhalten der beiden noch nicht recht zu erklären, und ich scheute mich, offen gestanden, auch davor, nach einer Erklärung zu suchen. Doch ich fand es sonderbar, daß Dshamilja jetzt Danijar auswich, obwohl sie darunter litt. Es wäre besser gewesen, wenn sie wie früher über ihn gelacht und ihn gehänselt hätte. Gleichzeitig aber empfand ich eine unerklärliche Freude für die beiden, wenn wir nachts in den Ail zurückkehrten und Danijar singen hörten.

Solange wir durch die Schlucht fuhren, saß Dshamilja auf dem Wagen, doch in der Steppe stieg sie ab und ging zu Fuß weiter. Ich folgte ihrem Beispiel, man konnte so besser zuhören. Zuerst liefen wir neben unseren Fuhrwerken her, doch dann näherten wir uns, ohne daß es uns bewußt wurde, mehr und mehr Danijar. Eine geheimnisvolle Kraft zog uns zu ihm; wir wollten sein Gesicht, seine Augen sehen und uns vergewissern, daß es wirklich Danijar war, der da sang, der menschenscheue, düstere Danijar.

Und jedesmal streckte Dshamilja selbstvergessen und ergriffen die Hand nach ihm aus. Danijar aber bemerkte es nicht. Den Kopf in die Hand gestützt, saß er hin und her schaukelnd im Wagen und blickte aufwärts in eine unbestimmte Ferne. Und Dshamiljas Hand sank kraftlos auf die Seitenstange nieder. Sie erschrak bei der Berührung, zog die Hand hastig zurück und blieb stehen. Niedergeschlagen, erschüttert verharrte sie auf dem Weg und sah Danijar lange, lange nach, ehe sie weiterging.

Zeitweilig schien es mir, als bewege Dshamilja und mich das gleiche unbestimmte, uns beiden gleichermaßen rätselhafte Gefühl. Vielleicht hatte dieses Gefühl schon lange in uns geschlummert, und jetzt war es erwacht?

Die Arbeit lenkte Dshamilja immerhin noch ab, doch in den seltenen Ruhepausen auf der Dreschtenne wußte sie nicht, wohin mit sich. Sie stand unschlüssig bei den Worflern umher, wollte ihnen helfen, warf mit aller Kraft einige Schaufeln Weizen hoch in den Wind, legte das Werkzeug aber plötzlich zur Seite und ging zu den Strohmieten. Dort setzte sie sich in den Schatten und rief mich, als fürchte sie die Einsamkeit:

»Komm, Kitschine-bala, setz dich ein bißchen zu mir!«

Ich wartete immer darauf, daß sie mir anvertrauen werde, was sie bewegte, aber sie sprach nicht. Schweigend legte sie meinen Kopf auf ihre Knie, fuhr, den Blick in die Ferne gerichtet, durch mein borstiges Haar und streichelte mit zitternden, heißen Händen zärtlich meine Wangen. Ich sah sie von unten herauf an, ich blickte in dieses Gesicht, in dem sich Sehnsucht und bange Furcht widerspiegelten, und ich erkannte, so schien es mir, mich selber in ihr. Auch sie quälte etwas, auch in ihrem Herzen reifte etwas, das heraus wollte. Und sie fürchtete sich davor. Wie gern wollte sie sich eingestehen, daß sie verliebt war, und wie ängstlich hütete sie sich davor, genauso wie ich wünschte und zugleich nicht wünschte, daß sie Danijar liebte. Schließlich war sie die Schwiegertochter meiner Eltern, die Frau meines Bruders! Doch diese Gedanken beschäftigten mich nur kurze Augenblicke. Ich vertrieb sie. Mir bereitete es damals eine unsagbare Wonne, den Geruch ihres heißen, sonnenverbrannten Körpers zu spüren, zu beobachten, wie sich ihre Brust unter dem Ausschnitt des Kleides verhalten hob; ich betrachtete versunken ihre kindlich zarten, ein wenig geöffneten Lippen und ihre Augen, in denen Tränen schimmerten. Wie gut, wie schön war sie, ihr Gesicht atmete vor heller Versonnenheit und Leidenschaft! Damals sah ich das alles nur, doch ich begriff es noch nicht. Heute stelle ich mir manchmal die Frage: Ist Liebe vielleicht dieselbe Eingebung, die ein Maler oder ein Dichter erlebt? Als ich damals Dshamilja ansah, wäre ich am liebsten in die Steppe gelaufen, um Himmel und Erde anzurufen, was ich tun, wie ich diese rätselhafte Erregung und diese unverständliche Freude in mir beschwichtigen sollte. Und einmal fand ich die Antwort.

Wir kehrten wie gewöhnlich von der Bahnstation zurück. Die Nacht brach herein, am Himmel schwärmten die Sterne, die Steppe ging zur Ruhe, nur das Lied Danijars schwang sich in die Stille auf und verklang in der weichen dunklen Ferne. Dshamilja und ich folgten zu Fuß Danijars Wagen.

Wer weiß, was an diesem Abend in ihm vorging, sein Gesang war von einer so zarten, zu Herzen gehenden Trauer, ein so ergreifendes Gefühl der Einsamkeit lag darin, daß einem vor Mitleid die Tränen in die Augen stiegen.

Den Kopf gesenkt, schritt Dshamilja rascher aus und klammerte sich an die Seitenstange des Fuhrwerks. Als Danijars Stimme wieder voll aufklang, hob sie den Kopf, sprang auf den fahrenden Wagen und setzte sich neben ihn. Sie saß ganz still, die Hände auf die Brust gelegt. Ich lief ein Stück vor und betrachtete die beiden von der Seite. Danijar sang und schien Dshamilja neben sich nicht zu bemerken. Ich sah, wie ihre Hände kraftlos herabsanken, wie sie sich ihm zuneigte und den Kopf leicht an seine Schulter legte. Nur einen Augenblick lang, so, wie ein aufs äußerste angetriebener Paßgänger mal einen falschen Schritt tut, zitterte Danijars Stimme, dann schwoll sie mit neuer Kraft an. Er sang von der Liebe!

Ich war zutiefst bewegt. Die Steppe schien zu erblühen, zu wogen, das Dunkel schien sich zu lichten, und inmitten der Weite sah ich zwei Verliebte. Sie bemerkten mich nicht, als wäre ich gar nicht vorhanden. Ich ging und schaute, wie sie sich, die ganze Welt vergessend, zusammen im Takt des Liedes wiegten. Ich erkannte sie nicht wieder. War das Danijar in der aufgeknöpften schäbigen Soldatenbluse, dessen Augen dort in der Dunkelheit leuchteten? War es meine Dshamilja, die sich still und schüchtern an ihn schmiegte und an deren Wimpern Tränen glitzerten? Es waren andere, ungeahnt glückliche Menschen. So sah das Glück aus. All die Liebe für sein Heimatland, die in ihm diese wundersamen Melodien geweckt hatte, gab Danijar nun Dshamilja. Er sang für sie, er sang von ihr.

Mich ergriff wieder die rätselhafte Erregung, die für mich immer von Danijars Liedern ausging. Und plötzlich wurde mir klar, was ich wollte. Ich mußte die beiden malen.

Ich erschrak vor den eigenen Gedanken. Doch der Wunsch war stärker als die Angst. Ich würde sie in ihrem Glück darstellen! Ja, genau so, wie sie jetzt dort saßen! Doch würde ich es können? Der Atem stockte mir vor Furcht und Freude. In wonnetrunkenem Selbstvergessen ging ich neben dem Wagen her. Auch ich war glücklich, denn ich wußte noch nicht, wieviel Schwierigkeiten mir dieser vermessene Wunsch bereiten sollte. Ich sagte mir, daß man die Erde so sehen müsse, wie Danijar sie sah, ich wollte sein Lied in Farben nacherzählen und Berge, Steppe, Menschen, Gras, Wolken und Flüsse wiedergeben wie er. Ich überlegte in diesem Augenblick sogar, wie ich mir Farben beschaffen könnte, denn von der Schule würde ich keine bekommen, die hatte selbst nichts. Als ob das Gelingen meines Vorhabens nur davon abgehangen hätte!

Das Lied Danijars brach unerwartet ab. Dshamilja hatte ihn ungestüm umarmt, doch sie wich sofort zurück; einen Augenblick saß sie starr, dann wandte sie sich hastig zur Seite und sprang vom Wagen. Danijar zog unschlüssig die Zügel an, die Pferde blieben stehen. Dshamilja stand mit dem Rücken zu ihm auf der Straße. Plötzlich warf sie brüsk den Kopf zurück, sah ihn über die Schulter hinweg einen Augenblick an und sagte, mit den Tränen kämpfend: »Was schaust du denn so?« Nach einer Weile fügte sie rauh hinzu: »Sieh mich nicht so an, fahr zu!« Sie ging zu ihrem Wagen. »Steig auf, nimm deine Zügel! Ach, mit euch hat man schon seinen Kummer!«

Was hat sie denn auf einmal? dachte ich verständnislos und trieb meine Pferde an. Dabei war unschwer zu erraten, was in ihr vorging. Sie bedrückte der Gedanke, daß sie ja einen ihr angetrauten Mann hatte, der lebte und in einem Lazarett in Saratow lag. Doch ich wollte an nichts denken. Ich ärgerte mich über sie und über mich selbst. Vielleicht hätte ich sie gehaßt, wenn ich gewußt hätte, daß Danijar nicht mehr singen würde und es mir nie mehr vergönnt sein sollte, seine Stimme zu hören.

Ich war todmüde und hatte nur den einen Wunsch, möglichst schnell ans Ziel zu gelangen, um mich im Stroh auszustrecken. Vor mir in der Finsternis schwankten die Rücken der Pferde, das Rütteln des Wagens schien unerträglich, und die Zügel glitten mir aus den Händen.

Am Dreschplatz angekommen, schirrte ich mit Mühe und Not ab, warf das Zaumzeug unter den Wagen, schleppte mich zu einer Strohmiete und fiel hinein. Danijar brachte die Pferde allein zur Weide.

Doch am Morgen erwachte ich mit einem frohen Gefühl. Ich würde Dshamilja und Danijar malen. Ob ich es konnte? Mit verkniffenen Augen stellte ich mir die beiden vor, wie ich sie abbilden wollte. Mir war, als brauchte ich nur Pinsel und Farben zur Hand zu nehmen, um draufloszumalen.

Ich lief zum Fluß, wusch mich und rannte zu den gekoppelten Pferden. Die nasse, kalte Luzerne peitschte meine bloßen Beine, meine aufgesprungenen Fußsohlen brannten, doch mir war wohl. Im Laufen beobachtete ich, was sich um mich abspielte. Die Sonne stieg hinter den Bergen auf. Eine Sonnenblume, die am Wassergraben wuchs, bot sich ihr dar. Das weißköpfige Bittergras um sie herum neidete ihr das Licht, doch sie behauptete sich, fing ihm mit ihren gelben Zünglein die Morgenstrahlen weg und tränkte damit ihre dicht beieinanderstehenden festen Samenkerne. Da war die Furt durch den Graben, von Radspuren zerfurcht, in denen Wasser stand, dort die fliederblaue kleine Insel aus halbmannshoch aufgeschossener duftender Minze. Unter meinen eilenden Füßen die vertraute Erde, über mir um die Wette dahinjagende Schwalben. Ach, wenn man Farben hätte, das alles zu malen – die Morgensonne, die weißblauen Berge, die taufeuchte Luzerne und die wildgewachsene Sonnenblume am Wassergraben!

Als ich zum Dreschplatz zurückkehrte, schwand meine frohe Stimmung jäh dahin. Dshamilja sah grau und hohlwangig aus, dunkle Schatten lagen unter ihren Augen. Wahrscheinlich hatte sie die ganze Nacht nicht geschlafen. Sie lächelte mir nicht zu und redete auch nicht mit mir. Als der Brigadier Orosmat erschien, trat sie zu ihm und sagt, ohne zu grüßen: »Nehmt euren Wagen wieder! Schickt mich, wohin ihr wollt, aber zur Bahnstation fahre ich nicht mehr!«

»Was fällt dir ein, Dshamilja? Hat dich eine Bremse gestochen, oder was?« erwiderte Orosmat verwundert.

»Ach, geht mit eurer Bremse! Fragt mich nicht weiter, ich will nicht, und dabei bleibt's!«

Das Lächeln wich aus Orosmats Gesicht.

»Ob du willst oder nicht, du fährst!« schimpfte er und stieß mit dem Krückstock auf die Erde. »Wenn dich jemand gekränkt hat, dann sage es, ich zerschlage den Stock hier auf seinem Kopf! Wenn aber nicht, dann mach keine

Geschichten! Du fährst Korn für die Soldaten, hast selbst deinen Mann dabei!« Er wandte sich um und humpelte an seiner Krücke davon.

Dshamilja war über und über rot geworden. Verwirrt und leise seufzend warf sie einen Blick auf Danijar, der mit dem Rücken zu ihr in der Nähe stand und ruckweise die Kummetriemen festzog. Er hatte das Gespräch gehört. Dshamilja riß eine Weile unschlüssig an der Peitsche, die sie in der Hand hielt; dann winkte sie verzweifelt ab und ging zu ihrem Wagen.

An diesem Tag kehrten wir früher als gewöhnlich zurück. Danijar trieb den ganzen Weg über die Pferde an. Dshamilja blieb finster und schweigsam. Und ich wollte nicht glauben, daß die Steppe nun versengt und schwarz vor mir lag. Noch gestern hatte sie doch ganz anders ausgesehen! Es war, als hätte ich im Märchen von ihr gehört, und das Bild vom Glück, das mich so aufgewühlt hatte, ging mir nicht aus dem Sinn. Hatte ich nicht ein Stück Leben erhascht, neben dem alles andere verblaßte? Ich stellte mir mein Bild in allen Einzelheiten vor, nichts anderes beschäftigte mich mehr. Ich fand keine Ruhe und stahl schließlich der Wiegemeisterin ein weißes Blatt Papier. Mit klopfendem Herzen lief ich hinter eine Strohmiete und legte das Blatt auf eine glatte Holzschaufel, die ich unterwegs den Worflern weggenommen hatte.

»Allah gebe seinen Segen!« flüsterte ich wie einst der Vater, als er mich zum erstenmal auf ein Pferd setzte, und berührte mit dem Bleistift das Papier. Unsicher zog ich die ersten Linien. Doch als auf dem Blatt die Züge Danijars erschienen, da vergaß ich alles um mich her! Die Steppe schien sich über das Papier zu breiten, so, wie sie in jener Augustnacht war; ich hörte Danijars Lied und sah ihn selbst mit zurückgelegtem Kopf und entblößter

Brust, ich sah Dshamilja, die sich an seine Schulter schmiegte. Das war meine erste selbständige Zeichnung: der Wagen, die beiden Menschen, die Zügel, lose über die Vorderwand des Wagens geworfen, die in der Dunkelheit schwankenden Pferderücken und die weite Steppe, die fernen Sterne.

Ich zeichnete mit solcher Hingabe, daß ich nichts um mich her bemerkte und erst zur Besinnung kam, als mich eine Stimme anrief: »Was ist denn los mit dir, bist du taub geworden?«

Es war Dshamilja. Ich fühlte mich ertappt, errötete und konnte die Zeichnung nicht mehr verstecken.

»Die Wagen sind schon lange beladen! Eine ganze Stunde schreien wir bereits nach dir, und du hörst nicht! Was machst du denn hier? Was ist das?« fragte sie und nahm die Zeichnung. »So!« Sie zuckte ärgerlich mit den Schultern.

Ich hätte in die Erde versinken mögen. Dshamilja betrachtete das Bild sehr lange, dann sah sie mich mit traurigen, feuchten Augen an und sagte leise: »Gib mir das, Kitschine-bala. Ich will es mir zum Andenken aufheben.« Sie faltete das Blatt zusammen und steckte es hinter ihr Brusttuch.

Wir fuhren schon auf den Weg hinaus, und ich konnte noch immer nicht zu mir kommen. Wie im Traum war das alles geschehen. Ich wollte nicht glauben, daß meine Zeichnung dem ähneln sollte, was ich gesehen hatte. Doch tief im Herzen empfand ich schon ein naives Frohlocken, ja Stolz, und neue Träume, einer verwegener und verlockender als der andere, verwirrten mir den Sinn. Schon wollte ich viele verschiedene Bilder schaffen, und nicht mit dem Bleistift, sondern in Farben. Es fiel mir gar nicht auf, daß wir sehr schnell fuhren. Danijar trieb seine

Pferde an, und Dshamilja blieb nicht zurück. Sie sah sich oft um, manchmal lächelte sie gerührt und schuldbewußt. Das machte mich froh: Sie ärgerte sich also nicht mehr über Danijar und mich, und Danijar würde heute bestimmt wieder singen, wenn sie ihn darum bat.

Wir erreichten die Bahnstation diesmal bedeutend früher als sonst, dafür waren die Pferde naß von Schweiß. Ohne eine Ruhepause machte sich Danijar daran, die Säcke abzuladen. Warum er es so eilig hatte und was in ihm vorging, war schwer zu begreifen. Jedesmal, wenn ein Zug vorüberfuhr, blieb er stehen und schickte ihm einen langen, nachdenklichen Blick nach, und Dshamilja sah ebenfalls hin, als wollte sie ergründen, was ihn bewegte.

»Komm doch mal her. Das Hufeisen ist locker, hilf mir, es abzureißen«, bat sie ihn.

Danijar klemmte den Huf zwischen seine Knie und riß das Eisen ab. Als er sich wieder aufrichtete, sah Dshamilja ihm in die Augen und sagte leise: »Was hast du denn? Kannst du nicht verstehen? Gibt es denn nur mich auf der Welt?«

Danijar blickte schweigend weg.

»Denkst du, mir fällt es leicht?« Dshamilja seufzte.

Danijars Brauen hoben sich, er sah Dshamilja liebevoll und bekümmert an und sagte etwas, doch so leise, daß ich es nicht verstand. Dann ging er, offenbar beruhigt, ja zufrieden, zu seinem Wagen zurück. Dabei strich er ein paarmal zart über das Hufeisen. Ich sah ihn an und begriff nicht, wieso ihn Dshamiljas Worte getröstet hatten. War das denn ein Trost, wenn jemand mit schwerem Seufzer sagte: »Denkst du, mir fällt es leicht?«

Wir waren schon mit dem Entladen fertig und wollten eben zurückfahren, da kam ein verwundeter Soldat auf den Hof. Sein Gesicht war eingefallen, er trug einen verknüllten Uniformmantel und hatte einen Soldatensack auf dem Rücken. Wenige Minuten vorher war auf dem Bahnhof ein Zug angekommen. Der Soldat sah sich nach allen Seiten um und rief: »Ist hier jemand aus dem Ail Kurkurëu?«

»Ja, ich!« antwortete ich und überlegte, wer das sein könnte.

»Zu welcher Familie gehörst du denn, Freundchen?« fragte der Soldat. Er wandte sich mir zu, doch da erblickte er Dshamilja, und er lächelte freudig überrascht.

»Kerim, du?« rief Dshamilja.

»Dshamilja, Schwester!« Der Soldat stürzte auf sie zu und drückte ihr fest die Hand.

Es erwies sich, daß er ein Verwandter Dshamiljas war.

»Das trifft sich ja gut! Als ob ich's geahnt hätte, bin ich noch mal umgekehrt!« erzählte er aufgeregt. »Ich komme nämlich gerade von Sadyk, wir haben zusammen im Lazarett gelegen. So Gott will, wird auch er in ein, zwei Monaten entlassen. Bevor ich losfuhr, sagte ich zu ihm: ›Schreib deiner Frau einen Brief, ich nehme ihn mit!‹ Hier ist er, heil und unversehrt, nimm ihn!« Kerim hielt Dshamilja ein dreieckig zusammengefaltetes Papier hin.

Dshamilja ergriff hastig den Brief; sie wurde erst rot, dann bleich und sah selbst in diesem Augenblick verstohlen zu Danijar hin. Er stand einsam neben seinem Wagen, breitbeinig wie damals auf der Dreschtenne, und beobachtete Dshamilja mit verzweifeltem Blick.

Inzwischen waren von allen Seiten Leute herbeigeeilt. Der Soldat, der unter den Anwesenden sofort Bekannte und Verwandte fand, wurde mit Fragen überschüttet. Dshamilja hatte ihm noch nicht für den Brief gedankt, als Danijars Wagen an ihr vorüberrumpelte. Er preschte in voller Fahrt vom Hof, das Fuhrwerk sprang über die Schlaglöcher und verschwand in einer Staubwolke.

»Der ist wohl nicht bei Trost!« riefen die Umstehenden ihm nach.

Den Soldaten hatten die Leute schon längst weggeführt, aber Dshamilja und ich standen noch immer mitten im Hof und sahen dem sich entfernenden Wagen nach.

»Komm, Dshene«, sagte ich.

»Fahr allein, laß mich!« antwortete Dshamilja traurig.

So fuhren wir zum ersten Mal in dieser ganzen Zeit getrennt. Meine Lippen brannten von der Hitze. Die rissige, versengte, tagsüber bis zur Weißglut erhitzte Erde überzog sich, als sie sich jetzt abkühlte, mit einem salzfarbenen Grau. In der gleichen Farbtönung flimmerte die Luft vor der verschwommenen, formlosen untergehenden Sonne. Am trüben Horizont ballten sich gelbrote Gewitterwolken. Ab und zu fegte ein trockener, heißer Windstoß über die Steppe, er puderte die Mäuler der Pferde mit feinem Staub, blies unter ihre grauen Mähnen, stürmte weiter über die Bodenwellen und zauste die Wermutstauden.

Es wird Regen geben! dachte ich. Wie verlassen kam ich mir vor, was für eine Unruhe ergriff mich! Ich trieb die Pferde an, die fortwährend nur Schritt laufen wollten. Langbeinige, magere Trappen hasteten aufgeregt in die Schlucht. Der Wind trieb vergilbte Blätter der Wüstenklette auf den Weg. Sie mußten von der kasachischen Seite herübergeweht worden sein, denn die Pflanze gedieh nicht bei uns. Die Sonne ging unter. Ringsum keine Menschenseele, nur die von der Glut des Tages ermattete Steppe.

Als ich auf dem Dreschplatz ankam, war es bereits dunkel. Tiefe Stille herrschte, kein Lüftchen regte sich. Ich rief nach Danijar.

»Er ist zum Fluß gegangen«, sagte mir der Wächter. »Bei der Schwüle wollte keiner dableiben, sie sind alle zu Hause. Ohne Wind gibt's hier ja auch nichts zu tun.«

Ich trieb die Pferde zum Weiden und beschloß, zum Fluß zu laufen, ich kannte den Lieblingsplatz Danijars an der Böschung.

Er saß in gebückter Haltung da, den Kopf auf den Knien, und lauschte dem unter ihm tosenden Fluß. Ich wäre gern zu ihm gegangen, hätte ihn umarmt und freundschaftlich mit ihm gesprochen, doch was sollte ich sagen? So stand ich nur eine Weile in seiner Nähe und lief dann zurück. Lange lag ich im Stroh, schaute in den von Wolken verdunkelten Himmel und dachte: Weshalb ist das Leben so unverständlich und verworren?

Dshamilja war noch immer nicht eingetroffen. Wo mochte sie stecken? Ich konnte nicht einschlafen, obgleich mich die Müdigkeit quälte. Tief in den Wolken über den Bergen zuckten lautlose blaue Blitze.

Als Danijar kam, schlief ich noch nicht. Er lief ziellos auf dem Dreschplatz umher und blickte von Zeit zu Zeit auf den Weg hinaus. Dann legte er sich neben mich ins Stroh. Er wird fortgehen, er wird jetzt nicht mehr im Ail bleiben! dachte ich. Aber wo sollte er hin? Wer brauchte ihn, den Einsamen, Heimatlosen? Ich schlief ein. Halb unbewußt hörte ich noch das träge Rattern eines herannahenden Wagens. Offenbar kam Dshamilja.

Ich weiß nicht, wie lange ich geschlafen hatte, als plötzlich dicht neben mir Schritte im Stroh raschelten und mich etwas wie ein nasser Flügel leicht an der Schulter berührte. Ich öffnete die Augen. Es war Dshamilja. Sie kam in feuchtem, ausgewrungenem Kleid vom Fluß. Unruhig sah sie sich nach allen Seiten um und ließ sich zu Häupten Danijars nieder.

»Danijar, ich bin gekommen, von selbst bin ich gekommen«, sagte sie leise.

Ringsum herrschte Stille. Ein Blitz leuchtete auf.

»Du bist gekränkt? Sehr gekränkt, ja?«

Wieder Stille. Nur ein vom Wasser unterspülter Erdklumpen stürzte mit weichem Plätschern in den Fluß.

»Bin ich etwa schuld daran? Und du bist nicht schuld...«

Fern über den Bergen rollte der Donner. Einen Augenblick lang stand Dshamiljas Profil im Licht eines Blitzes. Sie sah sich um und warf sich an Danijars Brust. Ihre Schultern zuckten in seinen Armen. Dann legte sie sich neben ihm ins Stroh.

Ein heftiger, sengender Wind fegte aus der Steppe herüber. Er wirbelte das Stroh auf, rüttelte an der Jurte, die am Rand der Dreschtenne stand, und tanzte wie ein schiefer Kreisel über den Weg. Wieder zuckten in den Wolken die blauen Blitze, und nun krachte ganz in unserer Nähe mit trockenem Knall auch der Donner. Es war unheimlich und großartig zugleich. Das Gewitter zog heran, das letzte Sommergewitter.

»Hast du wirklich gedacht, ich gebe dich seinetwegen her?« flüsterte Dshamilja inbrünstig. »Nein, niemals! Er hat mich nie geliebt. In seinen Briefen schreibt er nur ganz zum Schluß an mich. Ich brauche ihn nicht mit seiner verspäteten Liebe, sollen die Leute reden, was sie wollen! Du mein Lieber, Einsamer, ich gebe dich niemand! Ich liebe dich seit langem, schon als ich dich noch gar nicht kannte, liebte ich dich; ich habe auf dich gewartet, und du bist gekommen, als hättest du es gewußt.« Einer nach dem anderen fuhren die gezackten blauen Blitze hinter der Uferböschung in den Fluß. Die ersten schräg einfallenden, kühlen Regentropfen raschelten auf dem Stroh.

»Dshamiljam, liebe, traute Dshamaltai!« flüsterte Danijar. Er gab ihr die zärtlichsten kasachischen und kirgisischen Kosenamen. »Ich liebe dich auch schon lange; in den Schützengräben habe ich von dir geträumt, ich wußte, daß meine Liebe zur Heimat die Liebe zu dir war, meine Dshamilja!«

»Dreh dich um, laß mich deine Augen sehen!«

Das Gewitter entlud sich. Ein von der Jurte losgerissenes Stück Schafwollfilz flatterte im Wind wie der Flügel eines verwundeten Vogels. Stürmische Böen trieben den Regen prasselnd auf die Erde; es sah aus, als küsse er sie. Schräg über uns krachten mächtige Donnerschläge, die am Himmel rollend nachhallten. Bei jedem Aufzucken erglühten die Berge wie ein Tulpenfeld im Frühling. Wütend heulte der Sturm.

Es goß in Strömen. Ich lag ins Stroh eingegraben und fühlte unter meiner Hand das Herz schlagen. Ich war glücklich. Mir war zumute, als sähe ich nach langer Krankheit zum ersten Mal wieder die Sonne. Der Regen und auch das Leuchten der Blitze drangen bis zu mir unters Stroh, doch ich fühlte mich wohl; ich schlief lächelnd ein, ohne recht zu begreifen, ob es das Flüstern Danijars und Dshamiljas oder das Rascheln des nachlassenden Regens war, was ich noch vernahm.

Jetzt würde die Regenzeit einsetzen, der Herbst stand vor der Tür. In der Luft lag schon der herbstliche, feuchte Geruch nach Wermut und nassem Stroh. Was erwartete uns in den kommenden Monaten? Daran dachte ich merkwürdigerweise nicht.

In diesem Herbst ging ich nach zweijähriger Unterbrechung wieder zur Schule. Nach dem Unterricht lief ich oft zum Fluß und setzte mich bei dem ehemaligen, jetzt verwilderten und verlassenen Dreschplatz an die Uferböschung. Dort malte ich mit Schulfarben meine ersten Studien. Selbst für meine damaligen Begriffe gelang mir nicht alles.

Die Farben taugen nicht! sagte ich mir. Ja, wenn ich richtige hätte! Dabei hatte ich keine Vorstellung, wie diese beschaffen sein müßten. Richtige Ölfarben in Zinntuben bekam ich erst viel später zu sehen.

Farben hin, Farben her, jedenfalls schienen die Lehrer recht zu haben: Der muß Malerei studieren. Doch daran war nicht im Traum zu denken. Von meinen leiblichen Brüdern kam nach wie vor keine Nachricht; die Mutter hätte mich, ihren einzigen Sohn, »den Dshigiten und Ernährer zweier Familien«, auf keinen Fall fortgelassen, und ich hätte es gar nicht gewagt, darüber auch nur zu sprechen. Dabei war gerade in diesem Jahr der Herbst so schön, daß man ihn nur immerfort malen mochte.

Der Kurkurëu war kalt geworden und so flach, daß die mit dunkelgrünem und orangefarbenem Moos bewachsenen runden Steine zutage traten. Frühe Fröste färbten die kahlen, zarten Purpurweiden rot, während die wildwachsenden Pappeln noch ihre gelben, festen Blätter behielten.

Auf den feuchten Wiesen standen als schwarze Flecke im rötlich verfärbten Herbstgras die verräucherten, regendurchweichten Jurten der Pferdehirten; über den Öffnungen in ihren Dächern schwebten graublaue, stark riechende Rauchschwaden. Herbstlich stimmgewaltig wieherten die schlanken Hengstfohlen, die Stuten liefen unruhig umher, bis zum Frühjahr würde es wieder schwer sein, sie bei der Herde zu halten. Das Vieh kehrte aus den Bergen zurück und trottete über die Stoppelfelder. Kreuz und quer liefen die Hufspuren durch die graubraune, abgestorbene Steppe.

Bald begann der Steppenwind zu blasen, der Himmel wurde trübe, und kalter Regen fiel, der Vorbote des Schnees. Da kam ein Tag, an dem das Wetter noch erträglich war, und ich ging zum Fluß, um mir die flammendroten Ebereschen am Ufer anzusehen, die mir so sehr gefielen. Ich setzte mich unweit der Furt unter eine Purpurweide. Der Abend sank hernieder. Da erblickte ich zwei Gestalten, die offenbar den Fluß durchwatet hatten. Es waren Danijar und Dshamilja. Ich vermochte den Blick nicht von ihren ernsten, erregten Gesichtern abzuwenden. Danijar trug einen Soldatensack auf dem Rücken; er strebte, das Bein nachziehend, hastig vorwärts, so daß sein offener Uniformmantel um die Schäfte seiner ausgetretenen Stiefel schlug. Dshamilja hatte einen weißen Schal um Kopf und Hals geschlungen; sie trug ihr bestes Kleid, das bunte, in dem sie sich an Markttagen so gern gezeigt hatte, und darüber eine gesteppte Wattejacke. In der einen Hand hielt sie ein kleines Bündel, mit der anderen klammerte sie sich an den Tragriemen, der über Danijars Schulter lief. Sie sprachen miteinander.

Jetzt bogen sie in einen Fußpfad ein, der abseits vom Hauptweg durch dichtes Steppengras führte. Ich sah ihnen hilflos nach. Sollte ich rufen? Doch meine Zunge schien am Gaumen angetrocknet zu sein.

Die letzten blutroten Strahlen der Sonne glitten am Gebirgskamm über eine rasch dahinziehende Herde scheckiger Wolken, und mit einem Mal wurde es dunkel. Danijar und Dshamilja wanderten, ohne sich umzusehen, in Richtung auf die Ausweichstelle der Eisenbahn weiter. Zweimal tauchten ihre Köpfe noch über dem Dickicht des Steppengrases auf, dann waren sie verschwunden.

»Dshamiljaaa!« schrie ich, was meine Stimme hergab.

»-aaa!« antwortete das Echo.

»Dshamiljaaa!« rief ich noch einmal und stürzte den beiden wie von Sinnen mitten durch den Fluß nach.

Eiskaltes Wasser spritzte mir ins Gesicht, meine Kleider wurden naß und schwer, doch ich lief weiter, ohne auf den Weg zu achten, bis ich über etwas stolperte und mit aller Wucht lang hinschlug. Ich blieb liegen, ohne den Kopf zu heben. Tränen rannen über mein Gesicht. Die Dunkelheit schien sich schwer auf meine Schultern zu senken. In feinem, traurigem Ton pfiff der Wind durch die biegsamen Halme des Steppengrases.

»Dshamilja! Dshamilja!« schluchzte ich, an den Tränen fast erstickend.

Ich verlor die Menschen, die mir am liebsten waren, mir am nächsten standen. Und erst jetzt, als ich verzweifelt auf der Erde lag, begriff ich, daß ich Dshamilja liebte. Ja, sie war meine erste, noch kindliche Liebe gewesen.

Lange lag ich so, den Kopf an den feuchten Ellbogen geschmiegt. Ich nahm nicht nur von Dshamilja und Danijar Abschied, sondern von meiner Kindheit.

Als ich im Dunkeln zu Hause anlangte, herrschte auf dem Hof große Aufregung. Steigbügel klirrten, Pferde wurden gesattelt. Der betrunkene Osmon führte Reiterkunststücke vor und schrie aus voller Kehle: »Man hätte diesen zugelaufenen Hundesohn schon längst aus dem Ail jagen sollen! Eine Schande ist das, eine Schmach für die ganze Sippe! Wenn er mir in die Hände fällt, erschlage ich ihn auf der Stelle! Mag man mich verurteilen, ich lasse es nicht zu, daß jeder Hergelaufene unsere Frauen entführt! He, aufgesessen, Dshigiten, er kann nicht entkommen, wir erwischen ihn auf der Bahnstation!«

Mir lief es kalt den Rücken hinunter. Wohin ritten sie? Doch als ich mich überzeugt hatte, daß die Verfolger den Hauptweg zur Bahnstation einschlugen und nicht den

Pfad zur Ausweichstelle, stahl ich mich ins Haus und verkroch mich in den Schafpelz meines Vaters, damit niemand meine Tränen sah.

Was wurde danach im Ail nicht alles geredet und geschwatzt! Die Frauen verdammten Dshamilja um die Wette: »Ist das eine dumme Gans! Aus so einer Familie wegzulaufen, ihr Glück mit Füßen zu treten!«

»Möchte bloß wissen, was sie an ihm lockt! Sein einziges Gut ist der schäbige Soldatenmantel und ein Paar zerlöcherte Stiefel!«

»Jetzt kann sie nicht mehr auf einem Hof voll Vieh wirtschaften. Was besitzt denn dieser heimatlose Herumtreiber, dieser Strolch? Was er auf dem Leib trägt, weiter nichts. Na, die Schöne kommt schon noch zur Besinnung, doch dann wird es zu spät sein.«

»Ja, eben. Ist denn Sadyk kein Mann, kein tüchtiger Hausherr? Der erste Dshigit im Ail!«

»Und die Schwiegermutter! So eine gibt Gott nicht jedem! Da muß einer lange suchen, bis er eine solche Baibitsche findet. In ihr Verderben ist sie gerannt, die dumme Gans, für nichts und wieder nichts.«

Vielleicht habe ich damals als einziger Dshamilja, meine ehemalige Dshene, nicht verurteilt. Wenn Danijar auch nur einen alten Soldatenmantel und zerlöcherte Stiefel besaß, ich wußte, daß er in seinem Herzen reicher war als wir. Nein, ich glaubte nicht, daß Dshamilja mit ihm unglücklich werden könnte.

Nur meine Mutter tat mir leid. Mir schien es, als sei mit Dshamilja ihre einstige Kraft entschwunden. Sie ließ den Kopf hängen, magerte ab und konnte sich, wie ich heute weiß, nicht damit abfinden, daß sich das Leben zuweilen so schroff über die alten Grundsätze hinwegsetzt. Wie ein mächtiger Baum, den der Sturm gefällt hat, konnte sie sich nicht wieder aufrichten. Nie hatte sie vordem jemand gebeten, ihr die Nadel einzufädeln, dazu wäre sie viel zu stolz gewesen. Und nun kam ich eines Tages aus der Schule, da sah ich: Mutters Hände zitterten, sie fand das Nadelöhr nicht und weinte.

»Ach, fädel mir doch mal den Faden ein!« bat sie und fügte mit einem tiefen Seufzer hinzu: »Dshamilja wird zugrunde gehen ... Ach, was für eine tüchtige Hausfrau wäre sie für die Familie geworden! Einfach fortzugehen und alles aufzugeben! Weshalb hat sie das getan? Ist es ihr denn bei uns schlecht gegangen?«

Ich wollte die Mutter umarmen, sie beruhigen, ihr erzählen, was für ein Mensch Danijar war, doch ich wagte es nicht, denn ich hätte sie zutiefst gekränkt. Trotzdem blieb meine unschuldige Teilnahme an dem Geschehenen nicht verborgen.

Sadyk kam bald zurück. Er war natürlich traurig, obgleich er einmal im Rausch zu Osmon sagte: »Nun ist sie eben weg, was kümmert's mich? Sie wird irgendwo verrecken. Heutzutage gibt's genug Weiber. Jeder Trottel gilt mehr als eine goldblonde Schönheit.«

»Das stimmt!« antwortete Osmon. »Nur schade, daß er mir nicht in die Hände gefallen ist, ich hätte ihn umgebracht, das ist sicher. Und sie hätte ich mit den Haaren an einen Pferdeschwanz gebunden! Sie sind bestimmt nach dem Süden in die Baumwollplantagen gegangen oder ins Kasachische, er ist ja das Herumstrolchen gewohnt! Es will mir nur nicht in den Kopf, wie das alles gekommen ist, keiner hat was gewußt, keiner hat es auch nur für möglich gehalten. Das hat sie ganz im stillen eingefädelt, dieses Luder! Ich hätte sie ...«

Als ich das hörte, hätte ich am liebsten zu Osmon gesagt: Du kannst es bloß nicht verwinden, daß sie dich damals bei der Heuernte abgewiesen hat, du niederträchtiger Hund!

Einmal saß ich zu Hause und zeichnete etwas für die Schulwandzeitung. Die Mutter hantierte am Ofen. Da stürzte Sadyk ins Zimmer und hielt mir ein Blatt Papier unter die Nase.

»Hast du das gezeichnet?«

Ich blickte betroffen auf. Es war mein erstes Bild. Einen Augenblick lang glaubte ich, Danijar und Dshamilja sähen mich leibhaftig an.

»Ja.«

»Wer ist das?« schrie Sadyk und zeigte mit dem Finger auf das Blatt

»Danijar.«

»Hinterhältiger Heuchler, du!« schrie er mir ins Gesicht.

Er riß die Zeichnung in kleine Stücke und knallte im Hinausgehen die Tür zu.

Nach langem drückendem Schweigen fragte die Mutter: »Du hast es gewußt?«

»Ja.«

Sie lehnte sich an den Ofen und sah mich unendlich vorwurfsvoll und verständnislos an. Und als ich sagte: »Ich zeichne sie noch einmal!«, da schüttelte sie nur betrübt und kraftlos den Kopf.

Ich betrachtete die Papierfetzen auf dem Fußboden. Das Gefühl, zu Unrecht beleidigt worden zu sein, schnürte mir die Kehle zu. Mochten sie mich für einen Heuchler halten! Wen hatte ich denn hintergangen? Die Familie? Unsere Sippe? Die Wahrheit jedenfalls, die Wahrheit des Lebens und das reine Gefühl dieser beiden Menschen hatte ich nicht verraten. Doch das konnte ich niemand erzählen. Nicht einmal die Mutter hätte mich verstanden.

Vor meinen Augen verschwamm alles, die Papierfetzen schienen auf dem Fußboden zu tanzen, als wären sie lebendig. Noch immer im Banne des kurzen Augenblicks, in dem mich Danijar und Dshamilja aus der Zeichnung angesehen hatten, glaubte ich Danijars Lied aus jener unvergeßlichen Augustnacht zu hören. Ich sah die beiden den Ail verlassen, und mich packte ein unbändiges Verlangen, es ihnen gleichzutun, kühn und entschlossen wie sie hinauszutreten auf den schweren Weg, um mein Glück zu suchen.

»Ich will fortgehen, studieren. Sag es dem Vater. Ich möchte Maler werden!« sagte ich fest zu meiner Mutter.

Ich war überzeugt gewesen, daß sie weinen, mir Vorwürfe machen und mich an meine im Krieg gefallenen Brüder erinnern würde. Doch zu meinem Erstaunen klagte sie nicht. Sie sagte nur schwermütig und leise: »Geh nur. Ihr seid flügge geworden und schlagt auf eigene Art mit den Flügeln. Woher sollen wir wissen, ob ihr nicht einmal hoch hinauffliegen werdet? Vielleicht habt ihr recht. Geh nur. Vielleicht besinnst du dich dort auch eines Besseren. Zeichnen und Malen ist kein Handwerk. Lerne, dann wirst du es selber merken. Und vergiß dein Vaterhaus nicht.«

An diesem Tag trennte sich das Kleine Haus von uns. Und ich fuhr bald darauf zum Studium.

Das ist die ganze Geschichte.

Auf der Akademie, wohin man mich nach Absolvierung der Kunstfachschule schickte, fertigte ich meine Diplomarbeit an, ich malte das Bild, von dem ich schon lange geträumt hatte.

Es ist nicht schwer zu erraten, daß dieses Bild Danijar und Dshamilja zeigt. Sie wandern auf einem herbstlichen Steppenweg dahin. Vor ihnen liegt die weite, lichte Ferne.

Wenn mein Bild auch nicht vollendet ist – zur Meisterschaft führt ein langer Weg –, so liebe ich es doch über alles, denn es ist die Frucht meiner ersten bewußten schöpferischen Unruhe.

Auch heute habe ich noch Mißerfolge, auch heute gibt es Augenblicke, in denen ich den Glauben an mich selbst verliere. Dann zieht es mich zu diesem lieben Bild, zu Danijar und Dshamilja. Lange sehe ich sie an, und ich unterhalte mich mit ihnen: »Wo seid ihr jetzt, auf welchen Straßen wandert ihr? Viele neue Wege gibt es jetzt bei uns in der Steppe, in Kasachstan, im Altaigebirge, in Sibirien! Viele kühne Menschen arbeiten dort. Vielleicht seid auch ihr unter ihnen! Du bist fortgegangen, meine Dshamilja, durch die weite Steppe, und hast nicht zurückgeblickt. Vielleicht bist du müde geworden, vielleicht hast du den Glauben an dich verloren. Lehn dich an Danijar! Er soll dir sein Lied von der Liebe, der Erde und dem Leben singen! Laß die Steppe in all ihren Farben vor dir erblühen! Denk an jene Augustnacht! Geh vorwärts, Dshamilja, bereue nichts, du hast dein schweres Glück gefunden!«

Ich betrachte die beiden und höre Danijars Stimme. Er ruft auch mich auf den Weg – es ist Zeit aufzubrechen. Ich werde durch die Steppe in meinen Ail gehen und dort neue Farben finden.

In jedem Pinselstrich soll der Gesang Danijars ertönen! In jedem das Herz Dshamiljas schlagen!

Louis Aragon

Die schönste Liebesgeschichte der Welt

Es gibt eine Novelle von Rudyard Kipling, die heißt *Die schönste Geschichte der Welt:* Etwa zwölf Jahre war ich alt, vor mir die Sammlung von Erzählungen mit diesem Titel, der von der ersten Geschichte stammte, man hatte mir das Buch geschenkt, und ich konnte mich nicht entschließen, es zu lesen. Ich konnte mich nicht entschließen wegen dieser ersten Geschichte. Ich las das ganze Buch, bevor ich mich an sie wagte, die dem Band den Titel gegeben hatte. Ich wußte nämlich, daß es ein billiger Trick war, denn diese Geschichte war nicht die schönste der Welt, nie und nimmer. Und tatsächlich, sie war es nicht. Ich habe das Kipling nie verziehen.

Jetzt, wo ich sagen will, was ich von *Dshamilja* halte, zögere ich – aber doch, ja, für mich ist das die schönste Liebesgeschichte der Welt. Deshalb habe ich diese Geschichte übersetzt, gegen alle Vernunft habe ich die Stunden all dem, was auf mich einstürmt, abgetrotzt. Und nun halte ich sie in meinen Händen, fertig zum Druck: Es ist die schönste Liebesgeschichte der Welt. Ich kann nicht anders, ich mußte es sagen. Das und mehr nicht. Man hätte es einfach auf die Buchbinde schreiben können, mit meiner Unterschrift. Aber kaum waren diese paar Worte geschrieben, *Die schönste Liebesgeschichte der Welt . . .,* da wußte ich auch schon, daß ich mich nicht auf sie beschränken konnte.

Ich las diese aus dem Kirgisischen übersetzte Novelle in der sowjetischen Zeitschrift *Nowji Mir* vom August 1958. Den Namen des Autors hatte ich noch nie gehört. Ich erkundigte mich, man gab mir einige banale Angaben, die nicht mehr Klarheit brachten. Es handelt sich um einen Debutanten. Der Schriftsteller Tschingis Aitmatow ist am 12. Dezember 1928 geboren, er war also noch keine dreißig Jahre alt, als *Dshamilja* erschien. Er ist der Sohn eines Angestellten aus dem Dorf Scheker in Kirgisien. Daß er in Scheker zur Schule gegangen sei, dann in eine Bezirksschule, daß er mit fünfzehn Jahren, also genau in der Zeit, in der *Dshamilja* spielt, im Sommer des dritten Kriegsjahres, als nur wenige Männer im Dorf waren, daß er damals Sekretär des Dorfsowjet war – das alles sagt uns wenig. 1946 begegnen wir ihm in Dshambul wieder, einer Stadt in der Nähe von Kasachstan, an der Technischen Hochschule für Veterinärmedizin, dann auf dem Landwirtschaftsinstitut von Kirgisien, das er 1953 verläßt. Von da an bis zum Erscheinen von *Dshamilja* arbeitet Aitmatow auf dem Experimentiergut des kirgisischen Forschungsinstituts für Viehzucht. Ab 1952 tauchen in der Presse immer wieder Erzählungen von ihm auf, mit ihnen tritt er ein in die Literatur. Aitmatow übersetzt Werke kirgisischer Schriftsteller ins Russische. Daß er 1956 bis 1958 am Gorki-Institut in Moskau ein Praktikum absolvierte, daß er 1957 in den Sowjetischen Schriftstellerverband aufgenommen wurde, all das sind vielleicht nützliche Angaben, jedenfalls sind es die einzigen, die ich habe – aber nichts von all dem kann erklären, daß irgendwo in Zentralasien ein junger Mann zu Beginn der zweiten Hälfte des zwanzigsten Jahrhunderts eine Geschichte geschrieben hat, die, ich schwöre es, die schönste Liebesgeschichte der Welt ist.

Und so kommt es, daß hier, in diesem hochmütigen Paris, im Paris von Villon, Victor Hugo und Baudelaire, dem Paris der Könige und Revolutionen, dem jahrhundertealten Paris der Maler, wo jeder Stein eine Geschichte oder Legende erzählt, wo es so viele Liebende gab, daß, wenn man sie nennen wollte, es einem erginge wie im Lied *Je ne sais lequel prendre,* ich weiß nicht, welchen nehmen..., in diesem Paris, das alles schon mal gesehen, gelesen und erlebt hat, da bedeuten mir auf einmal Werther, Bérénice, Antonius und Cleopatra, Manon Lescaut, die Education sentimentale oder Dominique nichts mehr, denn ich habe *Dshamilja* gelesen, nichts mehr Romeo und Julia, nichts mehr Paolo und Francesca, nichts mehr Hernani und Doña Sol... denn ich bin Danijar und Dshamilja begegnet, im Sommer des dritten Kriegsjahres, in dieser Augustnacht 1943, irgendwo im Tal des Kurkurëu, mit ihren Kornwagen und dem Kind Seït, das ihre Geschichte erzählt.

Was wissen wir denn vom kirgisischen Volk? Was wissen wir von diesem Land, das von China, Tadschikistan und Kasachstan umringt ist? Wo genau liegt die Gegend, die wir mit *Dshamilja* betreten, an welchem Punkt Zentralasiens? Es ist gar nicht einfach, auf den verfügbaren Karten den Fluß Kurukurëu zu finden. Ein Brief von Sadyk, dem Mann von Dshamilja, der in der Armee ist, gibt uns einen kleinen Hinweis im orientalischen Stil, wenn er an die Seinen schreibt: »Ich schicke diesen Brief mit der Post meinen Verwandten, die im duftenden, blühenden Talas-Gebiet wohnen...« Aha! Es geht also um die nordöstliche Provinz Kirgisiens (Talaskaja Oblast), die an Kasachstan stößt und begrenzt wird durch die kirgisischen Berge und die kasachische Steppe. Ich werde nicht mehr kennenlernen als die Strecke vom Ail bis zum Bahnhof jenseits der Schlucht, aus der der Kurkurëu hervorbricht, jenen Weg, den Dshamilja, Danijar und Seït einschlagen, um das Korn zur Bahnstation zu bringen, das die Soldaten so dringend brauchen. Daß Kasachstan und Kirgisien so beieinander liegen, höre ich nur aus einer Bemerkung über das Lied von Danijar: »Es war das Lied der Berge und Steppen, mal stieg es tönend auf wie die kirgisischen Berge, mal strömte es hin wie die kasachische Steppe.«

Ich male mir aus, daß die Eisenbahn, die nicht weit vom Ail Kurkurëu vorbeiführt, aber nur an jener Station anhält, zu der die Kornwagen durch die Schlucht fahren, daß diese Eisenbahn eingleisig ist, denn am Ende der Geschichte erfahre ich, daß die Liebenden zur Ausweichstelle davongehen, also kann dort ein Zug anhalten, um einen Zug in Gegenrichtung durchzulassen. Und in dieser Steppe, diesen Bergen und Vorbergen sind nicht nur Menschen, sondern auch große Pferdeherden, deren Hengste im Herbst weiden, Vieh, das im Sommer auf die Höhen zieht, Schafe und Ziegen, und was die wilden Tiere betrifft, höre ich ganz beiläufig von »langbeinigen mageren Trappen«, die »aufgeregt in die Schlucht hasten«, wenn das Gewitter heraufzieht. Ganz zufällig erfahre ich jetzt erst, dank diesem Sturm, woraus die Jurten der Kirgisen gemacht sind: »Ein von der Jurte losgerissenes Stück Schafwollfilz flatterte im Wind wie der Flügel eines verwundeten Vogels ...«

Dies gilt auch für die Gebräuche und die Landschaft. Das Kind Seït, das spricht, steigt nicht aufs Katheder und doziert Ethnologie und wird Ihnen auch keine politische Vorlesung halten. Es ist hier geboren, alles ist ihm selbstverständlich, die Nomadenzeit hat es nicht mehr erlebt, sie ist wohl drei oder vier Jahre vor seiner Geburt zu Ende gegangen, aber im Hof des festen Wohnsitzes richtet die Mutter noch immer jeden Frühling die Nomadenjurte auf, die der Vater in seiner Jugend mit eigenen Händen gemacht hat, und räuchert sie mit Wacholder aus. Man lebt im Rahmen der Kolchose, aber daß sie einen Vorsitzenden hat, erfahre ich nur, wenn er verbietet, die Pferde im Luzernefeld zu weiden, und der Brigadier Orosmat ist mehr dadurch charakterisiert, daß er ein Bein verloren hat und an der Krücke geht, als durch seine Beziehungen zur Leitung, von der er Rüffel bekommt, wenn nicht genug Korn angeliefert wird. All dies geschieht während des Kriegs, des Großen Vaterländischen Kriegs, und am Fehlen der Männer, das schwer auf den Frauen und Müttern der Soldaten lastet, wird mir dieser ferne Krieg zur Realität. Als die Dshigiten, die Elite der Kavallerie, Schrecken der Mädchen wie Verkörperung der kirgisischen Ehre, im Geklirr von Tausenden von Sporen ausziehen, rufen die alten Frauen beim Abschied »den Geist unseres Recken Manas« um Beistand an, dieses Manas, dessen Legende nicht über kolorierte Handschriften zu uns kam, sondern dessen Taten von Jahrhundert zu Jahrhundert in den Tien-Shan-Bergen durch das Wort der Sänger weitergegeben wurden, in der großen Trilogie Manas, Semeteï und Seïtek, die man erst im letzten Jahrhundert begonnen hat niederzuschreiben. Seïts Vater spricht am Morgen, bevor er an seine Zimmermannsarbeit geht, sein Gebet aus dem Koran, nach Mekka gerichtet. Aber mehr erfahre ich nicht vom religiösen Leben, es scheint völlig vergessen, hier begegnet man keinen Priestern, keinen Mullahs wie in Kasachstan in Muchtar Auesows Erzählung *Abaj* oder in *Die Henker von Buchara* von Saddridin Aini. Aber die Sippentradition hat sich auch im sowjetischen Ail erhalten, den Familienältesten, den Aksakal, gebührt es, im

Brief des Frontsoldaten an seine Frau an erster Stelle, noch vor ihr gegrüßt zu werden. Vom sowjetischen Gesetz ist hier nie die Rede, man hält sich an *Adat,* das Stammesgesetz. Unter diesem Gesetz hat sich im Ail, in den Vierzigerjahren dieses Jahrhunderts, noch die Polygamie erhalten. Auch nur nebenbei erfährt man zum Beispiel, daß es in der Schule eine Wandzeitung hat, weil Seït für sie zeichnet. Dennoch ist alles hier ein Kampf des Alten und des Neuen. Nur – und das macht die Größe dieser Erzählung aus – wird uns dieser Kampf gezeigt in den Seelen und durch die Seelen.

Dshamilja ist darum auf eine so bemerkenswerte Weise gelungen, weil wir hier von einem unbekannten Land hören, vom Leben der Männer und Frauen, die noch ganz den patriarchalen und nomadischen Traditionen verhaftet sind und doch ohne Reibungen in die Sowjetepoche mit ihren Institutionen eingetreten sind, weil wir aber all das aus dem Innern heraus erfahren, von Menschen, denen all dies selbstverständlich und fraglos ist, und deshalb entfaltet sich die Erzählung mit einer außerordentlichen Ungezwungenheit – gerade das geht den modernen Literaturen so sehr ab, die alle von der Reportagekrankheit befallen sind, wo alles wirkt, als sei es vorab schon auf Karteizetteln notiert gewesen.

Dies zur Stimmung jener Landstriche, wo der wilde Wermut wächst und der Wind die Wüstenklette über die Ebene treibt und »den an frischgemolkene Milch erinnernden Duft von blühendem Mais und den warmen Geruch trocknenden Kamelmistes« mischt. Das Land, von dem zu reden man die Stimme Danijars bräuchte, die Stimme eines Mannes, dessen natürliche Liebe zu seiner Heimat so viele Jahre unerfüllt blieb.

Aber dann wandelt sich alles, die echten Farben treten

hervor. Hier beginnt das Unnachahmliche, von dem ich nicht mehr berichten kann, denn mir fehlen die Talente von Seït, dem geborenen Zeichner, dem die kopierten Bilder aus seinen Schulbüchern ebensogut gelingen (sagen seine Kameraden nicht, daß sie »haargenau« seien?) wie Danijar und Dshamilja in der Augustnacht?

Wie gerne würde ich diese Zeichnung sehen, die Seït so ganz ungeschult gemacht hat, mit dieser naiven Kühnheit der Unkenntnis, wo aber die Personen so erkennbar sind, so ähnlich! Ich fürchte, daß ihm Schule und Kunstakademie die Hand verderben und sein Strich und seine Farben die Kunst des Oralen verlieren, darin war wohl gleichzeitig etwas vom Zöllner Rousseau und dem Epos Manas – jene Unbefangenheit, die die Maler der erschöpften alten Zivilisationen des Westens wiedergewinnen wollen wie den Weg zum verlorenen Paradies.

Hier beginnt das Unwägbare. Hier öffnet der Autor, wie Danijar in der Augustnacht, vor uns seine Seele und damit auch jene Wahrheit des Lebens, die man, in Scheker oder Talas, in Verona wie Troja, die Liebe nennt. Jeder Mensch hat nur ein Leben. Tschingis Aitmatow steht noch am Anfang. Aber er wirkt schon so, als trage er die unermeßliche Erfahrung der Menschheit in seinem Herzen und seinen Armen. Denn dieser junge Mann spricht von der Liebe wie kein anderer. O Musset, sei eifersüchtig, mein Freund, auf diese Augustnacht, im fernen Kirgisien! Und auf diesen Dreißigjährigen, der von sich sagen kann, er sei noch im Vollbesitz seiner Kraft und seines Lebens.

Vor allem ist es die Liebe zur Welt, zum Leben, so scheint mir. Wenn der Vogel singt und sich mit prächtigen Federn schmückt, dann hören wir im Vorübergehen nur die

Musik, sehen nur die Harmonie der Farben. Ohne die Gelehrten und ihre Studien wüßten wir nicht, daß dies der Gesang der Liebe ist, der wie die Schönheit der Federn dem verborgenen Vogelweibchen gilt, das hört und gleich kommen wird. Die Geschichte von *Dshamilja* wird uns von einem Kind erzählt, es entdeckt, was in den Seelen des Paares geschieht, dieses Drama eines Paares, das sich noch nicht erkannt hat, und für das Kind ist dies die Entdeckung des Gefühls überhaupt, die *Oaristis* des Geistes, alles ist Neuland für dieses Kind, und darum zeigt es uns die Liebe, wie reinstes Metall, im *Zustand der Geburt*.

Es trifft es auf Anhieb: »Zeitweilig schien es mir, als bewege Dshamilja und mich das gleiche unbestimmte, uns beiden gleichermaßen rätselhafte Gefühl.« Denn es nimmt Teil an dieser Geburt, und es wünscht und wünscht zugleich nicht, daß Dshamilja Danijar liebe, denn es muß gemäß dem *Adat* über die Frau seines Bruders wachen. Ein Gesang in einer Augustnacht stürzt all seine Vorstellungen von Gut und Böse auf immer um und macht sie nichtig. Es weiß nicht, daß es Dshamilja liebt, es wird es erst wissen, wenn es sie auf unwiederbringlich verloren hat, und in seiner Unschuld wird es zum Komplizen der Liebe von Danijar und Dshamilja.

Einstweilen rätselt es noch über die Natur der Liebe, und nur über eine andere innere Regung kann es bewußt werden, über den Wunsch, sein Gefühl anderen mitzuteilen, über die Zeichnung, die Malerei. Ist die Liebe, so fragt es sich, nicht eine Inspiration, ganz wie die Inspiration des Malers, des Dichters? Diese Augustnacht bringt für das dreizehnjährige Kind vor allem auch die Erleuchtung, was es selbst sein will, der Gesang von Danijar sagt es ihm, der Gesang der Liebe von Danijar und Dshamilja ...

Zu viele Worte, oder zu wenige... Hier ist das Buch. Eine kurze Geschichte, und gleichzeitig unermeßlich. Eine Liebesgeschichte ohne ein einziges überflüssiges Wort, kein Satz, der nicht sein Echo im Herzen weckt. Ich weiß nicht, ob der kleine Seït ein naiver Maler war, aber jenem, der für ihn spricht, dem kann in seiner Kunst keiner etwas vormachen. Die Kirgisen mäkelten keine Miniaturen in Manuskripte, als Rustaweli im Kaukasus sang oder Arnaut Daniel im Languedoc. Die Schrift ist für sie eine junge Errungenschaft, vor dreißig Jahren hatten sie noch keine Bücher. Und darum: dieses Lied, das vom blühenden und duftenden Talas zu uns gelangt, dieser Gesang von Sommer und Herbst, vom Schrei des Hengstes und von der bebenden Erde, dieser Gesang, der die Traditionen des *Adat* umstürzt und den Namen der geliebten Frau zum ersten Wort jedes Briefes macht, vor den Brüdern, dem Vater, der Mutter und den Aksakal, dieser kühne Gesang, der die Liebe siegen läßt über das Gesetz der Ehe, über die Pflichten der Frau gegenüber dem Mann bei der Truppe, unter dem die Heuchelei des Ail, und nicht nur des Ail, zusammenbricht – mir reicht es nicht, daß er sich dort erhebt, über der Steppe des wilden Wermut, in jenem großen Duft von Heu, in dem man so gut schläft, wenn man jung ist, daß man natürlich gar nichts hört, wenn Dshamilja und Danijar sich darin lieben, mir reicht es nicht, wenn dieser Gesang sich in der Nacht Kirgisiens erhebt, ohne daß sich hier, in unserer blasierten alten Welt ein Echo erhebt und mit Sturm und Wetter zurückrollt und antwortet, um Tschingis Aitmatow zu sagen, daß seine Stimme bis zu uns reicht und jene Zaubernacht anbrechen läßt, in der Mann und Frau sich erkennen und das Kind dunkel das Licht ahnt.

Bei Gott, wie ist die Erde noch jung und schön! Noch

gar nichts ist ausgeschöpft, alles kann noch die Herzen höher schlagen lassen! Es gibt Leute, die leben mit einer gelehrten Musik, aus der alles, was Musik ausmacht, verbannt ist, und sie reden sich heraus, nur so erkenne man das Wesen der Musik. Es gibt Leute, die treiben die Wissenschaft auf einen Punkt, wo sie nur noch ein Spiel ist. Es gibt Leute, die brauchen ihre ganze Kraft auf, nur um sich nicht ähnlich zu sehen, wenn sie vor dem Spiegel stehen... Und dann gibt es am Fluß Kurkurëu, zwischen China und Tadschikistan, einen Jungen, der dreißig Jahre früher ein Dshigit wie alle anderen geworden wäre, er schaut uns an und spricht, und man will nur noch schweigen und zuhören.

Dank sei Dir, mein Gott, an den ich nicht glaube, für diese Augustnacht, an die ich glaube mit all meinem Glauben an die Liebe.

Paris, den 30. März 1959

Worterklärungen

Adat	Gewohnheitsrecht der islamischen Völker
Ail	kirgisisches Dorf
Aksakal	ehrerbietige Anrede für einen älteren oder höherstehenden Mann. Wörtlich: Weißbärtiger
Aryk	Bewässerungsgraben
Baibitsche	ehrerbietige Anrede für eine ältere Frau
Dshene	Frau des älteren Bruders. Plural: Dsheneler
Dshesde	Mann der älteren Schwester
Dshigit	junger Bursche
Jurte	kuppelförmiges Filzzelt
Kajyn	jüngerer Bruder aus der Sippe des Mannes
Kurkurëu	kirgisischer Fluß. Wörtlich: der Tosende
Mulla	mohammedanischer Gelehrter, Richter
Namas	fünfmal täglich zu verrichtendes islamisches Gebet
Talas	kirgisischer und kasachischer Fluß
Saman	mit Stroh vermischte Lehmstücke
Tandyr	neben dem Haus in die Erde gebauter Ofen mit runder Öffnung, in dem Fladen gebacken werden
Tschu	kirgisischer Fluß
Wachthügel	Anhöhe, die einen Rundblick über die gesamte Umgebung gewährt. Die Bezeichnung stammt aus der Zeit, als die Kirgisen sich gegen Überfälle nomadisierender Stämme zu verteidigen hatten

Tschingis Aitmatow im Unionsverlag

Tschingis Aitmatow
Aug in Auge
Aitmatows Erstling, ein Jahr vor »Dshamilja« erschienen. Auf solche Weise war von Armut und Kriegsnot im Hinterland noch nicht geschrieben worden. 112 Seiten, gebunden

---

Tschingis Aitmatow
Der Richtplatz
Awdji Kallistratow, der ausgestoßene Priesterzögling, geht auf die Suche nach den Wurzeln der Kriminalität – eine Reise, die ihm zum Kreuzweg wird. 468 Seiten, gebunden

---

Tschingis Aitmatow
Du meine Pappel im roten Kopftuch
Iljas, der Lastwagenfahrer, will das verschneite Pamirgebirge bezwingen. Dabei verspielt er die Liebe seines Lebens und scheitert an seiner Unfähigkeit, auf andere zuzugehen.
168 Seiten, gebunden

Tschingis Aitmatow
Abschied von Gülsary
Der Hirte Tanabai und sein Prachtpferd Gülsary haben ein Leben lang alles geteilt: Arbeit und Feste, Siege und Niederlagen, Sehnsucht und Enttäuschung.
216 Seiten, gebunden

Tschingis Aitmatow
Karawane des Gewissens
Autobiografische Schriften, Essays und Interviews: Ein Blick in die Erfahrungswelt und die Werkstatt von Aitmatow. 360 Seiten, gebunden

---